D1216788

ИМИДЖ
IMAGE

MASTERPIECES OF JEWISH ART

BRONZE

A. KANTSEDIKAS

1

ШЕДЕВРЫ ЕВРЕЙСКОГО ИСКУССТВА

БРОНЗА

А. КАНЦЕДИКАС

SERIES SELECTION AND SCIENCE EDITING

by *Alexander Kantsedikas*

Translated from Russian by *L. Lezhneva*

Proof-reader of the English text *L. Mikhailova*

Editor of the Russian text *L. Mazo*

CO-SPONSORED BY THE MEMORIAL FOUNDATION FOR JEWISH CULTURE

ISBN 5-86044-012-X

*Мы приступаем к изданию серии "**Шедевры еврейского искусства**", которая является первым шагом к возвращению еврейского культурного наследия нашим современникам. В альбомах серии вы сможете познакомиться со всеми основными видами традиционного еврейского искусства, с творчеством наиболее выдающихся еврейских художников-профессионалов, с отражением еврейской жизни в русском, украинском, белорусском, польском искусстве. Общее число произведений, намеченных к публикации, превышает две тысячи памятников, большая часть которых издается впервые. К работе над серией привлекаются лучшие из тех пока немногих исследователей, которые работают в нашей стране над этой тематикой. В подготовке к изданию альбомов они опираются на консультатив-*

This book is the opening album of the "**Masterpieces of Jewish Art**" *series, which is the first step toward placing the Jewish cultural heritage within the reach of the reading public. The series will highlight the major types of traditional Jewish art, the work of prominent Jewish professional artists and the way Jewish life is reflected in Russian, Ukrainian, Byelorussian and Polish art. Over 2,000 artifacts will be opened to the public, some of them for the first time. The foremost of the few students of Judaica in this country are involved in the publication of this series, drawing on the help of their Israeli and American colleagues.*

We intend to complete our series in the next two years.

ную помощь израильских и американских ученых.

Мы рассчитываем опубликовать все альбомы серии в течение ближайших двух лет.

К изданию намечены следующие пятнадцать альбомов:

Бронза.

Еврейские художники Витебска.

Еврейские надмогильные камни Украины и Молдовы.

Еврейское художественное серебро.

Синагоги Украины, Белоруссии и Литвы.

Еврейский орнамент. Вып. 1.

Еврейский орнамент. Вып. 2.

Еврейский фаянс, фарфор и стекло.

Еврейский художественный текстиль.

Евреи в живописи, скульптуре и графике XVIII — XIX вв.

Художники Культур-лиги.

Искусство горских и грузинских евреев.

Искусство бухарских евреев.

Искусство караимов.

Современное еврейское искусство.

Состав серии, порядок издания и названия альбомов могут быть изменены. Ждем ваших откликов и пожеланий.

Имидж

The following fifteen art books have been scheduled for publication:

Bronze Works From Galicia.

Jewish Artists From Vitebsk.

Jewish Tombstones in the Ukraine and Moldavia.

Jewish Silver.

Synagogues of the Ukraine, Byelorussia and Lithuania.

Jewish Ornament. Issue 1.

Jewish Ornament. Issue 2.

Jewish Pottery, China and Glass.

Jewish Decorative Textiles.

Jewish Masters in Eighteenth and Nineteenth Centuries—

Painting, Sculpture and Drawing.

Artists of the Culture League.

The Art of Mountain and Georgian Jews.

The Art of Bukhara Jews.

The Art of the Karaims.

Modern Jewish Art.

The composition of our series, the order of publication and titles are subject to change. We are looking forward to your responses and proposals.

The Publishers

"И сказал Г-дь Моисею, говоря:
Скажи сынам Израилевым, чтобы они сделали мне приношения; от всякого человека, у которого будет усердие, принимайте приношение Мне.
... И устроят они Мне святилище, и буду обитать посреди их."

Библия. Исход, 25

"The Lord said to Moses, Speak to the people of Israel, that they take for me an offering; from every man whose heart makes him willing you shall receive the offering for me.
...And let them make me a sanctuary, that I may dwell in their midst."

Ex 25.1-2; 8

Традиционным художественым изделиям из меди и бронзы принадлежит заметное место в культурном наследии еврейского народа. Первым из ремесленников, упоминаемых в Ветхом завете, является Тувалкаин, "который был ковачем всех орудий из меди и железа" (Бытие, 4, 22). На путях своих многовековых скитаний евреи-медники закрепили за собой славу замечательных мастеров, хранивших традиции и приумножавших свое умение, используя опыт других народов. Один из крупнейших центров художественной обработки металлов у европейских евреев в XVIII — XIX вв. находился на территории Западной Украины. Об этом свидетельствуют все большие собрания иудаики в мире. В музеях и частных коллекциях Израиля, США, Западной Европы неизменно присутствуют ритуальные бронзовые или

Traditional copper and bronze artifacts feature prominently in the Jewish cultural heritage. The first craftsman mentioned in the Old Testament was Tubal-cain who "was the forger of all instruments of bronze and iron" (Gen 4.22). Throughout their centuries-long wanderings Jewish metalworkers have won the acclaim as master craftsmen, faithful to their own traditions and perfecting their skill by drawing on other people's experience. Western Ukraine was a major Jewish centre of metalworking in Europe in the eighteenth and nineteenth centuries, as attested by the world's biggest collections of Judaica. Ritual bronze or copper seven- or eight-branched candlesticks from Galicia, Volyn or Podolia are invariably found in museums and private collections of Israel, the US and Western Europe. Needless to say, the scale and distinctive features of this centre of the craft are

Интерьер синагоги в Жолкве. Галиция. Рисунок неизвестного художника. Первая половина XX в. ЛМЭ*

Interior of the synagogue at Zholkva (Nesterov), Galicia. Drawing by an unknown artist, early 20th cent., Lvov Museum of Ethnography and Crafts.

медные семи- и восьмисвечники из Галиции, Волыни или Подолии. Но наиболее полное представление о масштабах и особенностях этого ремесленного очага дают, естественно, музейные собрания нашей страны и, в первую очередь, обширная коллекция бронзовых и медных изделий Львовского музея этнографии и художественного промысла, насчитывающая несколько сот

most fully illustrated by museum collections in this country, first and foremost, a collection of several hundred bronze and copper artifacts from the Lvov Museum of Ethnography and Crafts. Together with excellent samples of Jewish silver, pottery, weaving,

произведений. В сочетании с первоклассными образцами еврейского серебра, фаянса, ткачества, вышивки, резьбы по дереву, вырезок из бумаги, создававшихся и бытовавших в этом регионе, произведения медников дают многогранное представление о еврейской художественной культуре на Западной Украине как о явлении самобытном и ярком, значение которого выходит за рамки национальной культуры. В этом сможет убедиться читатель нашей серии.

Изучение памятников еврейского художественного наследия — задача весьма сложная. Укорененные в обрядах и быту они были впервые представлены на выставках немногим более столетия назад. В нашей стране до сих пор не было ни одного представительного показа памятников еврейского искусства, им не было посвящено ни одного альбома, ни одной монографии. Несколько небольших выставок в Каунасе, Вильнюсе, Львове, Москве и С.-Петербурге так же, как и отдельные журнальные публикации носили лишь поверхностный характер, хотя и вызвали заметный интерес у любителей искусства. Предстоит еще большая исследовательская работа по введению в научный и культурный обиход многих тысяч произведений из отечественных собраний. Начинаемая этим альбомом серия ставит перед собой, главным образом, познавательные задачи.

embroidery, wood and paper works hailing from that region, local copper artifacts represent the Jewish artistic tradition in Western Ukraine as an original and dynamic phenomenon, whose importance goes far beyond the boundaries of Jewish national culture. We hope that our series will offer ample proof to the effect.

It is rather difficult to study monuments of the Jewish artistic heritage. Deep-seated in Jewish rituals and way of life, they were first exhibited a little over a century ago. This country has so far seen not a single representative exhibition of works of Jewish art, nor published a single art book or monograph on the topic. A number of small exhibitions in Kaunas, Vilnius, Lvov, Moscow and St. Petersburg, as well as individual publications in periodicals, tended to be superficial, even though arousing noticeable interest among art lovers. Great efforts remain to be made to bring thousands upon thousands of artifacts from local collections to the attention of scholars and cultural figures. The present book opens a series aiming primarily to acquaint the public with little-known pieces. It will make it possible to draw from oblivion the best works of Jewish art locked for decades in the storerooms of museums, libraries and research

Она позволит извлечь из небытия, отдать в руки специалистов и широкой аудитории людей, интересующихся искусством, лучшие памятники еврейской художественной культуры, десятилетиями хранившиеся в запасниках музеев, библиотек, научных организаций и в частных коллекциях. О многих из этих вещей мы не знаем почти ничего. Их авторы, как правило, неизвестны, датировка затруднительна, лишь изредка можно точно указать место их изготовления.

Так в зарубежных собраниях большинство еврейских бронзовых и медных светильников двух последних столетий территориально соотносится с Польшей. Но самой Польши вплоть до начала XX в. как административной единицы не было на карте Европы. Она была поделена между Россией, Австро-Венгрией, Германией. В свою очередь и Западная Украина, где концентрировались основные еврейские центры бронзового и медного литья, была лишена самостоятельности. И лишь на основе отрывочных данных и скрупулезного стилистического анализа мы можем определить сегодня, какие из представленных в музеях произведений были созданы на месте, а какие были завезены сюда постоянно мигрировавшим населением.

Совершенно очевидно также, что многие из бытовавших в обращении евреев бронзовых

centres and private collections and to place them within the reach of experts and art lovers at large. We know next to nothing about many of these works of art. Their makers are, as a rule, anonymous. It is hard to date them, and only on rare occasions can their provenance be determined precisely.

For example, the majority of Jewish bronze and copper lamps of the past two centuries accumulated in collections abroad territorially pertain to Poland. However, Poland itself was not to be found as an administrative unit on the map of Europe up to the early twentieth century. It had been partitioned by Russia, Austria-Hungary and Germany. Western Ukraine, where major Jewish centres of bronze and copper casting were concentrated, in its turn was also deprived of independence. It is therefore only through disjointed data and painstaking stylistic analysis that we can determine today which pieces amassed in museums were produced locally, and which were brought to the region by the constantly itinerant population.

It is likewise obvious that many of the bronze artifacts in Jewish households were produced by Ukrainian, Byelorussian and Polish craftsmen. However, as they were made to order and bore the imprint of the Jewish tradition,

Изображение храмового семисвечника — меноры. Фрагмент капорета (верхней части завесы) на Аарон-Хакодеше (алтарь, где хранятся свитки Торы). Бархат, золотое шитье. 1786 г. ЛМЭ

Representation of a menorah, a temple seven-branched candelabrum. Detail of the upper part of the Torah Ark curtain, gold-thread embroidered velvet, 1786. It was kept at Great Synagogue in Lvov until the Second World War, Lvov Museum of Ethnography and Crafts

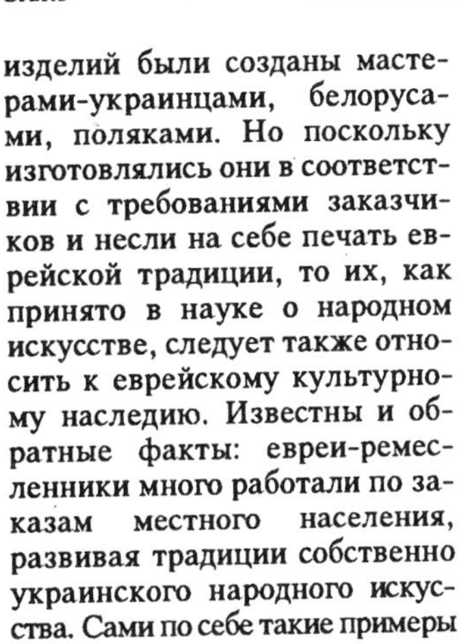

изделий были созданы мастерами-украинцами, белорусами, поляками. Но поскольку изготовлялись они в соответствии с требованиями заказчиков и несли на себе печать еврейской традиции, то их, как принято в науке о народном искусстве, следует также относить к еврейскому культурному наследию. Известны и обратные факты: евреи-ремесленники много работали по заказам местного населения, развивая традиции собственно украинского народного искусства. Сами по себе такие примеры

they should be regarded, as is accepted in the science of folklore, as a part of the Jewish cultural heritage. Opposite facts are also well-known — Jewish craftsmen often worked for local customers, developing in this way the traditions of Ukrainian folk art. Such examples are certainly interesting in themselves: they testify to the natural interaction of different national cultures, but they can

Изображение меноры. Рейзеле — традиционная еврейская вырезка из бумаги. Галиция. Конец XIX в. ЛМЭ

Representation of a menorah. Reisele — traditional Jewish paper cutting,Galicia, late 19ht cent., Lvov Museum of Ethnography and Crafts.

несомненно интересны — они свидетельствуют о естественном взаимодействии различных национальных культур, но к области еврейского искусства такие произведения отнести нельзя и, поэтому мы опускаем их в нашей публикации. Здесь уместно будет привести мнение известного польского искусствоведа Александра Яцковского, всецело относимое к нашему материалу: "В данном случае важно то, для кого это произведение создано и какие при этом соблюдались традиции. Происхождение автора, его жизненные условия и степень благосостояния не играют здесь основной роли. Нам известно, что лучшими ремесленниками, работавшими на нужды деревни, притом обладавшими, зачастую, поразительным чувством народного характера данного изделия, бывали деревенские или поселковые (имеется в виду мес-

hardly be identified with Jewish art and for this reason they are not included in the present publication. It is pertinent to cite here well-known Polish art critic Alexander Jackowski: "What matters here is who a particular thing was made for and what traditions were observed in so doing. The craftsman's origin, his living conditions and the degree of well-being were not of paramount importance. Rural Jewish craftsmen are known to have been the best of artisans, who met the needs of rural residents and often had a striking ability to pinpoint the national character of a given object. Jewish craftsmen have espoused Polish national culture to such an extent that they were by rights considered unrivalled in printing fabrics for women's dresses, painting

Хануккия — обрядовый восьмисвечник. Фаянс, роспись. Высота 180 мм. Любича Королевская. Галиция. XIX в. ЛМЭ

Painted faience Hanukah lamp, a ritual eight-branched candelabrum, H. 180 mm, Liubicha Korolevskaya, Galicia, 19th cent., Lvov Museum of Ethnography and Crafts.

течковые. — А. К.) жители еврейского происхождения. Евреи-ремесленники до такой степени восприняли польскую народную культуру, что по справедливости считались лучшими мастерами по набойке женских тканей, раскраске сундуков и ларей, изготовлению женских, так называемых краковских, ювелирных изделий. Таким образом, народность этих изделий определялась не происхождением мастеров, а соответствием стиля этих изделий глубоко укоренившимся народным вкусам...»[1]

Среди представленных в этом альбоме произведений большинство однозначно соответствует еврейской национальной традиции. Это определяется, в частности, их обрядовым характером, соответствием нормам и представлениям, сложившимся в иудейской религии. Есть и некоторое число

chests and caskets and making the so-called Cracow jewelry for women. The national character of these things was determined by the correspondence of their style to the deeply ingrained folk tastes rather than by the craftsmen's origin...»[1]

Most of the works represented here are unambiguously in keeping with the Jewish national tradition. This is expressed, among other things, in their ritual nature and correspondence to the norms and ideas existing in Judaism. There are also some purely secular, household objects with profoundly national forms and ornaments. And, finally, the present publication also comprises what can be referred to as border objects that could have been used by both Jews and non-

совершенно светских, собственно бытовых изделий, формы и орнаментика которых имеют ярко выраженные национальные черты. И, наконец, издание включает памятники, если так можно сказать, пограничной сферы, которые могли быть в обиходе как еврейского, так и нееврейского населения. Решающую роль в отнесении их к рассматриваемому явлению играет в этих случаях их местонахождение: как правило, это вещи из интерьеров разрушенных синагог.

Здесь необходимо сказать о той особой роли, которую сыграл в собрании и изучении еврейской бронзы Западной Украины замечательный исследователь народного искусства, многолетний сотрудник Львовского музея этнографии и народного промысла, ныне покойный, профессор Павел Николаевич Жолтовский. Вместе со своим молодым тогда коллегой Николаем Ивановичем Моздыром он собирал в сороковые-пятидесятые годы еще сохранившиеся у людей, а то и свезенные на склады вторсырья бронзовые светильники, медную утварь, кованые решетки, некогда украшавшие синагоги в городах и местечках Западной Украины. А поскольку в годы войны и в послевоенный период были разрушены и закрыты десятки, если не сотни синагог, молельных домов, духовных училищ, которых так много было в Галиции, на Волыни и Подолии, то собрание

Jews. Their provenance (these objects, as a rule, come from the ruined synagogues' interior) was of decisive importance in including them into the present survey.

The late Prof. Pavel Zholtovsky, a remarkable student of folk art who had for many years worked at the Lvov Museum of Ethnography and Crafts, played a special role in collecting and studying Jewish bronzes in Western Ukraine. Together with his young colleague Nikolai Mozdyr, he collected in the 1940s and the 1950s bronze lamps and copper utensils that people still had in their houses or that had been taken to scrap metal storages and also wrought grids that used to decorate synagogues in West Ukrainian towns and settlements. With tens and, perhaps, even hundreds of synagogues, prayer houses and religious schools, so numerous in Galicia, Volyn and Podolia, ruined and closed in the war years and the postwar period, a vast number of magnificent works of art enriched the museum collection in that period. True, many colleagues of Zholtovsky and Mozdyr were sceptical about their efforts, deeming them unpromising. The collectors, on the contrary, justly believed that such an attitude to the Jewish heritage was a temporary phenomenon and, besides, regarded their collection as an es-

Изображение меноры с предстоящими львами. Фрагмент надмогильного камня. Западная Украина. XIX в.

Representation of a menorah with lions in front. Detail of a tombstone, Kuty, Galicia, 19th cent.

музея в тот период пополнилось значительным количеством великолепных произведений. Правда, у многих коллег эта работа Жолтовского и Моздыра вызывала скептическое отношение, казалась бесперспективной, но ее инициаторы справедливо полагали, что такое отношение к еврейскому культурному наследию — явление временное, и вместе с тем они рассматривали собранный материал как существенную составную часть художественной культуры Украины.

Следуя этому принципу, профессор Жолтовский включил памятники еврейской бронзы в две свои книги, посвященные

sential component of Ukrainian artistic culture.

Adhering to this principle, Prof. Zholtovsky included Jewish bronze artifacts in two of his books, which dealt with metalwork in the Ukraine and were published in Kiev in the early 1970s. He also wrote the only article on Jewish decorative art to be published in the Soviet Union in Russian[2] in those years. That stance of the remarkable Ukrainian scholar at the time when Jewish culture was shunned in this country might be taken for

Изображение хануккальной меноры на обрядовом стакане. Стекло, роспись. Высота 92 мм. Украина (?) XIX в. Коллекция А. Фильцера. Москва

Representation of a menorah on a ritual glass. Painted glass, H. 92 mm, Ukraine (?), 19th cent., A. Filtser collection, Moscow.

художественному металлу на Украине и изданные в Киеве в начале семидесятых годов. Ему же принадлежит единственная в те десятилетия статья об еврейском декоративном искусстве, опубликованная в Советском Союзе на русском языке[2]. На фоне тогдашнего неприятия еврейской культуры в нашей стране эта позиция замечательного украинского ученого могла казаться вызовом отечественному искусствоведению, нарочито проходившему мимо большого и своеобразного художественного явления, фактически целой национальной культуры. Вероятно, это отчасти

defiance of Soviet art studies, which deliberately ignored a big and original artistic phenomenon and, in fact entire national culture. Perhaps, in part that was what it was but, recalling Zholtovsky, I now think that his piety towards Jewish art was prompted primarily by the professional rather than the national factor. A true scholar who studied folklore in field expeditions, traversing thousands of kilometres through the remotest parts of the Ukraine, Zholtovsky had a clear idea that

так и было, но, думаю вспоминая Жолтовского, что его пиетет по отношению к еврейскому искусству носил, в первую очередь, профессиональный, а не национальный подтекст. Истинный ученый, изучавший народную культуру в полевых экспедициях, в тысячекилометровых маршрутах по самым затерянным уголкам Украины, Жолтовский ясно представлял себе, сколь широким, многообразным и совсем недавно еще творчески активным, истинно живым было на этих землях еврейское народное искусство. Он, несомненно, лучше других чувствовал и видел те множественные связи, ту вековую неразрывность в которых развивалось творчество украинских и еврейских мастеров. Будучи человеком с высоким чувством достоинства и профессиональной гордости, он не мог не собирать и не изучать еврейский материал, точно так же, как собирал и публиковал он украинские иконы в тот период, когда большинство искусствоведов с неподдельным подъемом исследовали художественные высоты социалистического реализма.

В послевоенные десятилетия Павел Николаевич Жолтовский был одним из немногих, если не единственным исследователем народного искусства, для него значение еврейского традиционного ремесла как художественного явления было несомненным. Он, однако, не был первым, кто обратил внимание

Jewish folk art was broad, versatile and until quite recently very much creative and genuinely alive in those parts. Like nobody else, he was, beyond doubt, aware of the numerous ties and age-old bonds throughout the development of Jewish and Ukrainian crafts. Endowed with a high sense of dignity and professional pride, he could not but collect and study works of Jewish art, just like he collected and wrote about Ukrainian icons when most art critics enthusiastically analyzed the artistic heights of socialist realism.

In the postwar period few of Zholtovsky's colleagues, if any, studied Jewish folk art. He, on the contrary, had no doubts about the significance of traditional Jewish crafts as an artistic phenomenon. However, he was not the first to pay attention to the work of Jewish craftsmen in the Ukraine. The earliest publications about that phenomenon appeared already at the turn of the twentieth century. Among their authors were Meir Balaban, Rachel Bernstein-Vishnitser, Matias Bersohn, Mark Vishnitser, David Kaufmann, Kazimerz Moklowski, G.G.Pavlutsky and others[3]. As a rule, they dealt with the peculiarities of the architecture and interior decoration of synagogues, first and foremost wooden ones, which were in their

на творчество еврейских мастеров на Украине. Уже на рубеже XIX — XX вв. появились ранние публикации, посвященные этому явлению. Среди их авторов: Меир Балабан, Рахиль Бернштейн-Вишницер, Матиас Берсон, Марк Вишницер, Давид Кауфман, Казимеж Мокловский, Г. Г. Павлуцкий и др.[3] Как правило, их статьи рассматривали особенности архитектуры и внутреннего убранства синагог, в первую очередь деревянных, некогда занимавших заметное место в культурном ландшафте Украины, но к нашему времени почти не сохранившихся. Деревянные синагоги сгорели в огне двух мировых войн, каменные, по большей части обветшали, были разрушены или перестроены. Мы не будем останавливаться здесь на этом замечательном явлении еврейской национальной культуры — еврейскому зодчеству посвящен один из последующих альбомов нашей серии. Следует лишь сказать, что в интерьерах синагог большая роль отводилась художественному металлу: изящные кованые ограды и детали включались в ансамбль богато украшенного хранилища свитков Торы Аарон-Хакодеша и бимы—возвышения в центре молитвенного помещения, откуда читается Тора. Громадные и небольшие светильники, свешивающиеся с потолка многорожковые люстры-пауки, прикрепленные к стенам бра, —все эти источники

time noticeable in the Ukrainian cultural landscape and became almost extinct today. The wooden synagogues burned in the conflagration of the two world wars, whereas those made of stone for the most part had fallen into decay, been ruined or rebuilt. We are not going to dwell here on that remarkable phenomenon of Jewish national culture: one of the next books in our series will be devoted to Jewish architecture. It is worth mentioning, however, that metalwork had a great role to play in the synagogue interior decoration: delicately wrought grids and pieces formed part of the sumptuously adorned Ark, which contained the Torah scrolls, and the Bema, a platform in the centre of the prayer hall, from which the Torah was read. Big and small lamps, multi-branched spider-like chandeliers hanging from the ceiling, and candlesticks mounted on the walls — all these sources of flickering vibrant light made the synagogue rites especially solemn, to judge by old pictures and descriptions. These things were pivotal to the craft of artisans who knew the old secrets of making pieces of art out of bronze, copper and iron.

An article written by Matias Bersohn about the Pogrebishche synagogue[4], one of the earliest publications about Jewish art in

Ханукальная менора. Дерево, роспись. Высота 210 мм. Галиция. XIX в. ЛМЭ

Hanukah menorah. Painted wood, Galicia, 19th cent., Lvov Museum of Ethnography and Crafts.

колеблющегося живого света, насколько можно судить по старинным картинам и описаниям, придавали синагогальному действу оттенок особой торжественности. Именно эти вещи и были основными в творчестве ремесленников, владевших древними секретами художественной обработки бронзы, меди, железа.

Одна из первых публикаций о еврейском искусстве на Украине — статья Матиаса Берсона о синагоге в Погребище[4] содержит сведения о мастере Борухе, создателе великолепной утвари, более двух столетий украшавшей интерьер этой синагоги. Место рождения Боруха неизвестно. В

the Ukraine, tells about master Borukh who made the magnificent utensils which for over two centuries decorated the synagogue interior. It is not known where Borukh was born. He came to the small East Podolian settlement of Pogrebishche outside Vinnitsa in the last decade of the seventeenth century. Like most of his kinsmen, the master was poor and earned his living by making things to private orders, primarily by repairing old things of traditional use, which had come out of order. In the course of his work

Благословение субботних свечей. С открытки начала XX в.

The blessing of Sabbath candles, an early 20th cent. postcard.

Погребище, восточноподольское местечко, расположенное неподалеку от Винницы, он приехал в последнее десятилетие семнадцатого века. Как и большинство его собратьев, мастер жил бедно, на хлеб зарабатывал исполнением частных заказов, в основном ремонтом старых, пришедших в негодность традиционных вещей. В процессе этой работы он глубоко постиг старинные художественные и ремесленные приемы своих предшественников, одновременно собирая обрезки металла, предназначенного для исполнения его большого замысла, дела всей жизни — изготовления большой меноры для погребищенской синагоги. Предания о работе Боруха Матиас Берсон записывал у местных жителей два столетия спустя после того, как тот выковал свой шедевр. Время не стерло из памяти земляков реалий жизни и творчества мастера. Известно, что металл он собирал восемь лет, а затем

he acquired an indepth knowledge of the old artistic and vocational methods of his predecessors and garnered scraps of metal to fulfil the cause of his life — to make a great menorah for the Pogrebishche synagogue. Local residents told Matias Bersohn about Boruch's legendary work two centuries later. Though time had elapsed, the details of the master's life and work remained fresh in the memory of his fellow-countrymen. He is known to have collected metal for eight years and to have spent another six years making the candelabrum. He produced as a result a nine-branched Hanukah menorah 263 centimetres high and 150 centimetres wide. In the early twentieth century it could still be seen in front of the Ark of the Pogrebishche synagogue, whereas now there is only a drawing to help us picture it.

Настенный подсвечник. Бронза, литье. XIX в. Большая львовская синагога. Фото 20-х гг.

Cast-bronze wall candelabrum, 19th cent., Great Synagogue in Lvov, a 1920s photograph.

шесть лет работал над изготовлением светильника. В результате была выкована девятисвечная хануккальная менора высотой в два метра шестьдесят три сантиметра и размахом ветвей светильника в полтора метра. Еще в начале XX века она стояла перед Аарон-Хакодешем синагоги в Погребище; ныне мы можем судить о ней только по рисунку.

Прежде чем говорить о художественных особенностях этой конкретной вещи, следует, вероятно, посвятить читателя в специфику культовых и обрядовых светильников у евреев, поскольку, с одной стороны, они занимают совершенно особое место в духовной и материальной культуре народа в целом, а с другой — составляют основу того явления, которому посвящен наш альбом, т. е. художественной бронзы и меди еврейских мастеров. Храмовый семисвечник "менора" — один из основных атрибутов иудейского культа и соответственно один из двух центральных

Before dealing with the artistic peculiarities of that particular thing, the reader should perhaps be acquainted with the specifics of Jewish cult and ritual candlesticks because, on the one hand, they have a special role to play in the spiritual and material culture of the Jews as a whole and, on the other, they form the core of Jewish bronze and copper works under review. A fundamental element of the Judaic cult, the temple seven-branched menorah is therefore one of the two central Jewish symbols, along with the six-pointed star of David (Magen David).

The importance attached to the menorah is not accidental: after all, according to the Bible, the God gave Moses the order and the description how to make it on Mount Sinai, together with the sacred commandments. "And you shall make a lampstand of pure

Настенный подсвечник. Латунь, чеканка, литье. XIX в. Большая львовская синагога. Фото 20-х гг.

Cast-brass wall candelabrum with chasing, 19th cent., Great Synagogue in Lvov, a 1920s photograph.

символов еврейского народа, наряду с шестиконечной звездой Давида — "Маген-Давидом".

Значение, придаваемое меноре, не случайно, ведь предписание о ее изготовлении, равно как и само описание ее, было, согласно Библии, дано Б-гом Моисею на горе Синай одновременно со священными заповедями. В книге Исход мы читаем: "И сделай светильник из золота чистого; чеканный должен быть сей светильник; стебель его, ветви его, чашечки его, яблоки его и цветы его должны выходить из него" (Исход, 25, 31).

gold. The base and the shaft of the lampstand shall be made of hammered work; its cups, its capitals and its flowers shall be of one piece with it" (Ex 25.31). The Old Testament reports that five gild menorahs lined the northern and southern walls of the temple built by King Solomon. The menorah is therefore, indisputably, an ancient element of Judaic religious service. Though it literally means a candlestick in

Аарон-Хакодеш. Неизвестная синагога. Галиция (?) Фото начала XX в.

Torah Ark from an unknown synagogue, Galicia (?), an early 20th cent. photograph.

По свидетельству Ветхого завета, в храме, построенном царем Соломоном, вдоль северной и южной стен стояло по пять отделанных золотом менор. Таким образом, менора, без сомнения, относится к числу старейших предметов иудейского богослужения. И хотя слово "менора" в буквальном переводе с древнееврейского означает светильник, понятие это употребляется по традиции к храмовому, синагогальному семисвечнику, все семь ветвей которого развернуты, как правило, в одной плоскости. При всем многообразии

ancient Hebrew, it is traditionally used to denote the temple (synagogue) seven-branched candlestick, with all of its seven branches placed, as a rule, in one plane. For all the multiplicity of the menorah forms known to scholars and whatever their provenance of dating, they always bear a certain resemblance to a flourishing tree that can be symbolically likened to the tree of life — a central image of ancient culture of all people on Earth.

Интерьер Большой синагоги львовского предместья. Фото 20-х гг.

Interior of the Great Synagogue in Lvov environs, a 1920s photograph.

известных науке менор, где и в какой бы период они ни создавались, в их облике есть известное сходство с цветущим деревом, которое можно символически уподобить древу жизни — одному из центральных образов древней культуры всех народов земли.

Изготовление больших менор для интерьеров синагог было распространенным делом у медников на Западной Украине. Относимые, как правило, к XVIII — XIX вв. эти произведения сохранились в отечественных и зарубежных собраниях. Об их стилистических особенностях мы поговорим ниже. К меноре близки и трех-, четырех-,

West Ukrainian metalworkers often made big menorahs for synagogues. Dating, as a rule, to the eighteenth and nineteenth centuries, they can be found in collections both at home and abroad. Akin to the menorah are three-, four- and five-branched candlesticks which were produced for religious and household purposes. They are numerous in our collections of Jewish bronzes and can sometimes be even found in house-

пятисвечные светильники, изготовлявшиеся как для храмовых, так и для бытовых нужд. Они составляют весьма значительную часть коллекций еврейской бронзы в наших собраниях. В редких случаях они сохранились в домашнем обиходе и поныне. Как правило, их использовали как субботние подсвечники наряду с традиционными массивными светильниками на одну свечу.

Совершенно особую разновидность составляют так называемые хануккальные меноры — девятиствольные светильники, стилистически мало отличающиеся от обычной меноры, но используемые в строго определенные дни одного из наиболее важных праздников еврейского календаря —Ханукки. Хануккальные светильники или хануккии в прежние времена были столь же обязательным элементом еврейского ритуального и бытового обихода, как субботние подсвечники. Ввиду массовости их изготовления еврейские мастера на Украине оставили множество разновидностей хануккальных ламп — от не столь уж частых хануккальных менор до весьма многообразных по форме и орнаменту приземистых светильников, первоначально предназначенных под масло, как, впрочем, и все еврейские обрядовые светильники, и лишь затем приспособленных под свечи.

Традиционная хануккия имеет в одном ряду восемь

holds, used as a rule as Sabbath lamps, along with traditional heavy one-branched candlesticks.

The so called Hanukah nine-branched menorahs are a case apart. Though stylistically differing little from the usual menorahs, they are used strictly during the Hanukah, one of the most important holidays of the Jewish calendar. In olden days the Hanukah lamps, just like the Sabbath lamps, were an obligatory element of the Jewish ritual cult and household. Produced by Jewish craftsmen in the Ukraine on a large scale, the Hanukah lamps had a diversity of forms, from the relatively rare Hanukah menorahs to squat lamps with various forms and ornaments, intended initially for oil, like incidentally all Jewish ritual lamps, and only later on adapted to hold candles.

The traditional Hanukah lamp has eight sockets for oil or eight cups to hold candles placed in one row. Their number is determined by the number of days in that holiday, which the famous historian and public figure of the first century A.D. Josephus Flavius called the "holiday of fires". The Hanukah is a triumph of the ancient Jews' military valour and spiritual might. Even though a host of legends and interpretations had become associated with

емкостей для масла или восемь чашечек под свечи. Их количество определяется числом дней этого праздника, который известный историк и общественный деятель первого столетия новой эры Иосиф Флавий назвал "праздником огней". Ханукка — торжество воинской доблести и силы духа древних иудеев. И хотя на протяжении веков праздник этот оброс множеством легенд и толкований, в основе его лежит точно датируемое и исторически достоверное событие — освобождение в 164 году до н. э. главной святыни еврейства Иерусалимского Храма от рук поработивших древнюю Иудею греко-сирийских войск под руководством царя Антиоха Эпифана. Имя этого царя по-древнегречески значит "богоявленный", но у современников он получил прозвище Эпиман — "полоумный". В своей ненависти к еврейской религии и традиции, приверженности языческому культу этот царь с особой изощренностью надругался над иудейскими святынями. В оскверненном Храме он установил статую Зевса и принуждал евреев поклоняться ей, он уничтожил освященное масло храмовых светильников и тем самым надеялся прервать многовековой порядок иудейского богослужения.

Восставший народ под предводительством священников-левитов из рода Хасмонеев в долгой и кровопролитной борьбе отстоял свою независимость

the holiday in the course of centuries, it has to do with an historic event — the liberation of the Jerusalem Temple, the main Jewish sanctuary, in 164 B.C. from Graeco-Syrian troops led by King Antioch Epiphan who had conquered Judea. In ancient Greek the King's name meant "manifested by Our Lord", but the contemporaries called him Epiman, meaning "half-witted". Adhering to pagan cults, King Epiphan loathed the Jewish religion and traditions and was especially vicious in his affront to Judaic sanctuaries. He put up the statue of Zeus in the desecrated Temple and forced the Jews to worship it. He destroyed the sacred oil from the Temple lamps and hoped to put an end to the centuries-old Jewish religious ritual in that way.

Led by the Levites of the Hasmonee family, the people rose up against the oppressors, waged a protracted gory struggle for independence and restored their ancient sanctuary. The Hanukah celebrates that victory, but in the Jewish tradition it is primarily a festival of the spirit, a festival of the legendary miracle with which the God Almighty marked the loyalty of his chosen people to the Moses commandments. When the Jews liberated the Temple, they found only one jug of sacred oil in it. That was barely enough to last

Интерьер синагоги в Каменке-Струмиловой. Галиция. Фото 20-х гг.

Interior of the synagogue at Kamenka-Strumilova, Galicia, a 1920s photograph.

и вернул древнюю святыню. Ханукка — праздник этой победы, но в еврейской традиции это, в первую очередь, праздник духа, праздник легендарного чуда, которым Всевышний отметил верность богоизбранного народа заветам Моисея. Освободив Храм, евреи обнаружили в нем всего один кувшин с освященным маслом. Его должно было хватить на один день богослужения. Но священный елей горел в храмовом светильнике восемь дней, пока не было изготовлено новое масло. Традиция не была прервана. С тех пор каждую осень с 25-го дня месяца кислев до 3-го дня месяца тебет в течение восьми суток в каждом еврейском доме, придерживающемся традиции, горят огни хануккальных светильников. Так было и в самые

for one day of service, but the sacred unction did not go out in the Temple lampstand for eight days until new unction was made. The tradition was not broken. Ever since that time every autumn from the 25th day of Kislev to the 3rd day of Tebeth every Jewish household observing the tradition lights up the Hanukah fire. The tradition stayed on throughout the darkest and brightest periods of Jewish history. At one time the lamps were set alight at the thresholds of Jewish houses, demonstrating the world the triumphant spirit of the ancient people.

Subsequent persecutions forced the Jews to take the Hanukah lamps inside. But even

Решетка Аарон-Хакодеша. Железо, ковка, бронза, литье. Высота 1700 мм. XVIII в. Большая синагога в Жолкве. Фото 20-х гг.

Wrought-iron, cast-bronze Torah Ark grating, H. 1700 mm, 18th cent., Great Synagogue at Zholkva, a 1920s photograph.

тяжелые, и в самые светлые периоды еврейской истории. Некогда огни зажигались за порогом дома, демонстрируя миру торжество духа древнего народа. Последующие гонения заставили евреев внести хануккию в жилище, но и тогда принято было ставить светильник на подоконник, чтобы все видели и знали, что огонь веры выше и светлее даже света солнца. Иосиф Флавий писал: "Счастье снова служить Б-гу в его святом Храме было столь велико, что законом поколений стало отмечать освящение Храма ежегодно в течение восьми дней. С тех пор, празднуя

then the lamps were usually placed on the window-sills for everybody to see and to know that the light of faith was higher and brighter even than the sunlight. Josephus Flavius wrote: "The joy to be able again to serve the God in his sacred Temple was so great that it has become the law for generations to mark the consecration of the Temple every year in the course of eight days. Ever since that time when we celebrate the Hanukah we call it the

Обрядовый канделябр. Бронза, литье, гравировка. Высота 1850 мм. Польша (?) ВХМ**

Cast-bronze ritual Sabbath candelabrum with engraving, H.1850 mm Poland (?), early 19th cent., Vilnius Museum of Arts.

Ханукку, мы зовем ее "праздником огней" или "свечей", — потому, мне кажется, что возврат к жизни, согласно нашей вере, подобен был молнии светлой — внезапной, нежданной".[5]

Теперь, когда читатель знает значение этого праздника для традиционного еврейского мировосприятия, ему станет понятнее, почему на протяжении веков евреи-ремесленники вкладывали столько любви и умения в изготовление ханукальных светильников, из каких материалов бы они ни изготовлялись. В частности, на Украине в XVIII — начале XX вв.

'festival of fires' or 'candles', because it seems to me that the return to life according to our faith was like a bright lightning, sudden and unexpected."[5]

Now that the meaning of the festival in traditional Jewish mentality is clear, the reader will find it easier to understand how much love and skill Jewish craftsmen put into the Hanukah lamps they made for centuries on end, no matter what materials they used. Ceramic, faience, silver and

Ханукальная менора. Бронза, литье. Высота 1020 мм. Галиция. 1773 г. (Одна из ветвей утрачена.) ЛМЭ

Cast-bronze Hanukah menorah (one branch missing), H. 1020 mm, Galicia, 1773, Lvov Museum of Ethnography and Crafts.

создавались и бытовали ханукии из керамики, фаянса, серебра и, в первую очередь, из бронзы. Станет, вероятно, очевидным и то одухотворенное рвение, с которым приступил к многолетней работе над ханукальной менорой мастер Борух из Погребища.

Ветви изготовленного им светильника были украшены изящными коваными отростками. У их оснований, возле массивного ствола, увенчанного короной, возлежали фигурки львов — одного из наиболее частых орнаментальных мотивов в еврейском декоративном искусстве. Чашечки

above all bronze Hanukah lamps were widespread in the Ukraine in the period from the eighteenth to the early twentieth century. It is apparently also easy to imagine the inspired zeal with which master Boruch from Pogrebishche started his years-long work.

The branches of his menorah were decorated with elegantly wrought shoots. Figurines of lions, an ornamental motif most frequently used in Jewish decorative art, lay at their foundations

подсвечников были укреплены на головах стоявших рядком на вершинах ветвей птиц. С левой стороны этой великолепной металлической кроны — другой характерный образ традиционного еврейского бестиария: фигура оленя, тянущегося к побегам. В центре, на короне — наивный сказочный петушок, подчеркивающий фольклорное начало, пронизывающее все это произведение, говорящий о возможной связи творчества Боруха с собственно украинской традицией. Здесь уместно будет вспомнить анализ этой хануккальной меноры, данный П. Н. Жолтовским: "В народном искусстве, в частности украинском, птицы, и особенно петух, тесно связаны с образом солнца, с небесной сферой. Поэтому их изображение на светильнике — источнике света — всецело оправданно. ... В целом же произведение медника Боруха овеяно духом народного искусства, которое оказалось способным проникнуть даже в узкую расщелину гетто"[6].

Последнее замечание исследователя относится отнюдь не к одной этой вещи, но и к большинству творений еврейских ремесленников городков и местечек на Украине. В то же время оно симптоматично, ибо исходит из широко распространенного в науке мнения об особой рафинированности еврейского искусства, тесно связанного с господствовавшими историческими стилями западноевропейского

near the heavy trunk tipped with a crown. The candlestick sockets were on the heads of birds placed in a row at the branch tops. The left side of those magnificent metal branches was flanked by another characteristic figure of the traditional Jewish bestiary — a deer reaching out for the shoots. A naive fairy-tale cockerel upon the crown in the centre stressed the folkloric nature of that piece and intimated the possible link between Boruch's works and the Ukrainian tradition. Here is what Pavel Zholtovsky said about that Hanukah menorah: "In folk art, Ukrainian folk art in particular, birds and especially cockerels are closely associated with the image of the sun and the celestial sphere. Their portrayal on a candlestick, a source of light, was therefore quite justified. ...On the whole forger Boruch's work was pervaded with the spirit of folk art, which proved capable of penetrating even the narrow fissure of the ghetto." [6]

The latter remark is applicable not only to that particular piece, but to the majority of works produced by Jewish craftsmen in Ukrainian towns and settlements. At the same time it is rather symptomatic because it proceeds from the widespread scholarly opinion of the unique refinement of Jewish art, which had close links with

искусства. Многовековые скитания евреев, в частности по странам Европы, отложили отпечаток на еврейское декоративное искусство: еще сто лет назад в творчестве еврейских ремесленников ясно прослеживались черты ренессанса и барокко, что нередко приводит к неверной датировке тех или иных памятников. Эта тенденция архаизации была следствием бережного отношения евреев к традиции. Созданное веками ранее казалось более своим, более близким к тому золотому веку, когда евреи еще жили на своей земле, родине праотцов. И анализируя то или иное произведение, мы неизбежно отслаиваем самые разные хронологические наслоения — древнейшие корни, восходящие к библейской традиции (а надо сказать, что правила изготовления тех или иных ритуальных предметов достаточно подробно оговариваются в самом Ветхом завете или в талмудической литературе), следы влияния итальянского, испанского, голландского, немецкого искусства периода средневековья и последующих эпох, когда культурные центры еврейства находились в Западной Европе, и лишь затем вычленяем те особенности стиля, которые были привнесены уже мастерами, творившими в Польше, на Украине, в Белоруссии, Литве или Молдове в тесном контакте с особенностями местного искусства.

the dominant historical styles of West European art. Indeed, the centuries-old migration of the Jews, in particular through European countries, had left an imprint on Jewish decorative art — a century ago Renaissance and Baroque features could be clearly discerned in Jewish craftsmen's works, which accounts for the frequently wrong dating of one piece or another. This tendency to archaism resulted from the Jews' special reverence to tradition. Things created centuries earlier seemed dearer to heart and nearer to the golden age when the Jews lived in their own land, the homeland of their forefathers. When analysing one piece or another we inevitably have to distinguish the chronologically earlier influences — the primordial roots going back to the Biblical tradition (the rules of making ritual objects are by the way expounded in the Old Testament or the Talmudic literature), traces of the influence of Italian, Spanish, Dutch or German art of the Middle Ages and the subsequent periods when Jewish cultural centres were based in Western Europe and, finally, the stylistic peculiarities coming from the craftsmen who worked in Poland, the Ukraine, Byelorussia, Lithuania or Moldavia under the influence of local art.

Фрагмент хануккии. Латунь, чеканка, серебрение. Высота 660 мм. Галиция. XIX в. ЛМЭ

Detail of a silver-plated brass Hanukah lamp with chasing, H. 660 mm, Galicia, 19th cent., Lvov Museum of Ethnography and Crafts.

Это выливается, порой, в некоторый эклектизм произведений еврейского ремесла, преодолевавшийся наиболее талантливыми мастерами с наивной, но от того нередко и с весьма изящной искусностью. Сказанное относится и к упомянутой выше хануккальной меноре Боруха и к творчеству многих его собратьев. При этом нелишне, вероятно, заметить, что еврейские ремесленники в свою очередь заметно обогащали творчество местных мастеров, способствуя проникновению высоких традиций западноевропейского декоративного искусства на восточные территории. Следы влияний еврейского ремесла прослеживаются здесь достаточно ясно и могут служить основой для специального исследования.

This made Jewish artifacts at times eclectic, the feature that the most gifted of craftsmen managed to get rid of with the help of naive and for this reason often elegant artistry. This holds true of the aforementioned Hanukah menorah made by Boruch and the works by many of his fellow craftsmen. Let me point out here that Jewish craftsmen in their turn considerably enriched the work of local artisans, transplanting the high traditions of West European decorative art to Eastern territories. Jewish influence can be traced there fairly clearly and may come under special study.

Хануккия. Бронза, литье. Высота 230 мм. Галиция. Конец XVIII в. ЛМЭ

Cast-bronze Hanukah lamp, H. 230 mm, Galicia, late 18th cent., Lvov Museum of Ethnography and Crafts.

Известно, что наряду с упомянутой хануккальной менорой мастер Борух сделал для синагоги в Погребище еще один монументальный светильник на четырнадцать свечей, но это и другие его творения не сохранились даже в фотографиях или зарисовках, и в историю еврейского искусства на Украине мастер вошел, в первую очередь, как автор описанного выше произведения.

Зато мы знаем несколько больших синагогальных менор из Подолья, Галиции и Волыни, датируемых концом XVIII — XIX вв., свидетельствующих о нарастании в искусстве медников тенденции к пышной декоративности. Как правило, они были предназначены для интерьеров богатых каменных синагог и хорошо корреспондировали с изысканными коваными решетками, золотошвейными

Master Boruch is known to have made one more monumental fourteen-branched candlestick for the Pogrebishche synagogue, besides the Hanukah menorah. But, together with his other works, it did not survive, neither in photographs nor sketches, and he went down into Jewish art in the Ukraine as above all the master of the aforementioned menorah.

Other big synagogue menorahs from Podolia, Galicia and Volyn dating to the late eighteenth and the nineteenth century attest to the growing tendency towards sumptuous decoration in the art of copper forgers. They were, as a rule, intended for rich synagogues made of stone and well harmonized with exquisite

тканями завес на Аарон-Хакодеше, затейливыми росписями стен. Здесь уже всецело властвовали традиции барокко. Кружевная ткань ажурного литья нередко скрывает конструкцию светильников. Они требуют тщательного любовного рассмотрения, позволяющего выявить мотивы господствующего стиля, среди которых нередки геральдические изображения величавых львов, грифонов, двуглавых орлов. Влияние традиций народного искусства заметно уменьшается, хотя никогда не сходит полностью на нет. Вполне возможно, что новые тенденции связаны с расширением круга заказчиков — есть свидетельства, что евреи-ремесленники нередко работали на богатых дворян и купцов. При этом они могли следовать развитым традициям украинского бронзового литья, в частности, использовать узоры колоколов и пушек, которые в больших количествах отливались на Украине в семнадцатом — восемнадцатом столетиях. Интересно указание на то, что "даже такое трудное производство, как оружейное, требовавшее искусных рук и доведенное у поляков до совершенства, не превзойденного на западе, привлекало евреев и давало им заработок"[7]. И хотя у нас нет более подробных сведений об участии евреев в этом виде ремесленной деятельности, сам по себе этот факт знаменателен, так как показывает,

wrought grids, the Ark curtains of gold-embroidered cloth and fancy wall paintings. The Baroque traditions reigned supreme there. The candlesticks' structure was often made obscure by lace-like casting. Scrupulous scrutiny alone makes it possible to discern the motifs of the dominant style with its heraldic representations of majestic lions, griffins and double-headed eagles. Though noticeably waning, the influence of folkloric traditions never disappeared altogether. It is quite likely that the new tendencies had to do with the expanding range of clients. There is evidence that Jewish craftsmen often filled orders from rich gentry and merchants. In so doing they could follow the developed traditions of Ukrainian bronze casting, using, among other things, the ornamental elements of bells and cannons cast in profusion in the Ukraine in the seventeenth and the eighteenth centuries. A noteworthy record testifies that "even the difficult craft of gunsmiths, which called for skillful hands and had been brought to perfection by the Poles, unsurpassed elsewhere in the West, attracted the Jews and gave them an earning." [7] Even though we lack further evidence that Jews were engaged in this type of craft, the fact is noteworthy in itself, as it shows the broad range of crafts practised by

сколь широка была в то время сфера применения ремесленного труда еврейских мастеров на западных землях нашей страны. (Напомним, что по исторической традиции Западная Украина, Западная Белоруссия, Литва и часть смоленских земель вплоть до конца XVIII в. считались принадлежащими некогда могучему объединенному польско-литовскому государству.)

Известно, что евреи с библейских времен были хорошими ремесленниками. Однако в средневековой Европе условия для ремесленной деятельности евреев нельзя было считать благоприятными. Большие ограничения, налагавшиеся королями, князьями, христианской церковью на работу евреев-мастеровых, как правило, имели под собой чисто экономические причины — боязнь конкуренции евреев с местными ремесленниками. Лишь такие виды работ, которые были связаны с религиозными предписаниями: приготовление пищи, пошив традиционной одежды, переписка священных текстов и др., всегда выполнялись только мастерами-евреями. В остальном же ситуация ремесленников определялась конкретными условиями и заметно менялась в зависимости от общих условий жизни евреев в том или ином государстве, в тот или иной период.

В целом принято считать, что в средневековой южной Европе, в частности в Италии,

Jews in the western parts of this country. Let it be recalled that Western Ukraine, Western Byelorussia, Lithuania and a portion of the Smolensk region were regarded by historical tradition as belonging to the united Polish-Lithuanian state powerful in its time.

Jews were known as good craftsmen since time immemorial. However, the conditions they lived in in medieval Europe could hardly be considered favourable for crafts. The formidable restrictions laid on the Jewish artisans by kings, princes and the Christian clergy were dictated, as a rule, by purely economic considerations, that is, the fear of Jewish competition with local craftsmen. Only the religion-bound vocations, such as the making of kosher food and traditional vestments, the copying of sacred texts, etc., were the monopoly of the Jews. Otherwise, the situation of craftsmen was determined by specific conditions and varied significantly, depending on the general living conditions the Jews had in one particular state or another at one time or another.

It is believed on the whole that Jewish crafts were developed on a wider scale in medieval southern Europe, in particular, in Italy, Spain and southern France,

Люстра. Бронза, литье. Синагога в Тарнополе. Фото 20-х гг.

Cast-bronze chandelier, Synagogue at Tarnopol, a 1920s photograph.

Испании, на юге Франции, еврейское ремесло было более широко развито, чем, например, в Англии, Голландии или Германии. Наиболее распространенные виды занятий — сукноделие, выделка кож, ювелирное искусство, стекольное дело. На Сицилии евреи сосредоточили в своих руках различные виды обработки металлов. Их значение в хозяйственной жизни острова было столь велико, что когда последовал королевский эдикт об изгнании евреев из Сицилии, государственный совет воспротивился этому, указав, что все ремесленники в стране — евреи. Однако в конечном итоге евреи изгонялись с земель, где они жили столетиями, в хозяйственную

than in Britain, the Netherlands or Germany. Cloth manufacture, leather-dressing, jewelry and glass making were especially widespread. In Sicily the Jews controlled different types of metalworking and played such an important part in the economic life of the island that when the King issued an edict banishing the Jews from the island, the state council objected, pointing out that all the artisans in the country were Jewish.

In the long run the Jews were driven out of the lands in which

и культурную жизнь которых были тесно интегрированы. Так было, в частности, на Пиренеях, в Испании и Португалии, откуда евреев выселили пятьсот лет назад. Вместе с общинами погибли и замечательные центры местного еврейского ремесла. Но отголоски последнего еще сто лет назад встречались, в частности, на украинских землях, где сохранилась и достигла художественных вершин золотная вышивка в технике шпанье (т. е. испанская).

В средневековой Германии еврейское ремесло, за исключением отдельных отраслей, не получило широкого развития. И лишь после массовой миграции евреев на Восток — в Польшу, Белоруссию, Литву, на Украину — резко возросло число евреев-мастеровых, расширился диапазон их знаний. Без знания этого факта трудно понять ту широту ремесленно-художественных устремлений евреев, которую демонстрируют музейные коллекции нашей страны. Одна из целей, которую преследовали польско-литовские государи, приглашая западноевропейских евреев на свои земли, — развитие ремесел. Об этом свидетельствует, в частности, грамота великого князя литовского Витаутаса гродненским евреям от 18 июня 1389 г. Этим документом, на многие столетия регламентировавшим жизнь евреев в Литве, было определено разрешение

they had lived for centuries and in whose economic and cultural life they had been deeply integrated. That happened, for example, on the Pyrenees, in Spain and Portugal, from where the Jews were evicted 500 years ago. The wonderful centres of local Jewish crafts perished together with the communities, but their traces could be found about a hundred years ago, say, in the Ukraine where the Spanish technique of gold-thread embroidery survived and attained great artistic heights.

Jewish crafts, with the exception of some individual branches, were not developed on a large scale in medieval Germany. It was not until the Jews migrated en masse to the east, to Poland, Byelorussia, Lithuania and the Ukraine, that the number of Jewish craftsmen grew significantly and they expanded the range of their crafts. This fact helps understand the variety of Jewish craftsmen's aspirations, as demonstrated by our museum collections. The development of crafts was one of the aims pursued by Polish-Lithuanian kings when they invited West-European Jews to their lands. This is borne out, among other things, by an official document, which Grand Prince Vitautas of Lithuania granted to the Grodno Jews on June 18,

Субботние парные подсвечники. Бронза, литье. Высота 320 мм. Западная Украина. XIX в. Частное собрание

Cast-bronze Sabbath paired candelabra, H. 320 mm, Western Ukraine, 19th cent., private collection.

"ремесла вшелякие робыти". Имеются указания на то, что к XVI в. в ряде городов Литвы, Западной Украины и Белоруссии еврейское ремесло развилось столь широко, что превратилось в опасного конкурента для христианских ремесленных цехов. Характерен в этом отношении запрет, наложенный польским королем Сигизмундом I на производство и продажу крестьянской одежды львовскими евреями.

Но, несмотря на отдельные дискриминационные акты со стороны властей и откровенную вражду христианских ремесленных цехов, масштабы и сфера применения труда

1389, and which regulated the life of the Jews in Lithuania for centuries to come. The document allowed them "to engage in all sorts of crafts". There is evidence that by the sixteenth century Jewish craftsmen had become so widespread in some cities and towns of Lithuania, Western Ukraine and Byelorussia that they offered fierce competition to Christian guilds. It is symptomatic in this respect that King Sigizmund I of Poland, for instance,

Ханукальная менора. Бронза, литье. Высота 450 мм. Галиция. XVIII в. Большая синагога в Жолкве. Фото 20-х гг.

Cast-bronze Hanukah menorah, H. 450 mm, Galicia, 18th cent., Great Synagogue at Zholkva, a 1920s photograph.

евреев-мастеров постоянно расширялись. Евреи в свою очередь также объединялись в ремесленные цехи и могли организованно противостоять как натиску своих иноверческих собратьев по профессии, так и весьма активной деятельности самостоятельно работавших мастеров-евреев. Не приходится сомневаться, что в XVI, XVII и в последующие века таковых было великое множество. И хотя ремесленный цех может считаться высшей формой организации мастеров в феодальный период, работа существовавших отдельно, зачастую постоянно разъезжавших по деревням и местечкам ремесленников в значительной степени определяла облик еврейского народного искусства вплоть до конца XIX века.

Число евреев-ремесленников росло весьма стремительно. Если в начале XVIII в. во Львове мастера различных профессий составляли несколько сотен, то уже к концу этого столетия их были тысячи.

forbade the Lvov Jews to produce and sell peasant clothes.

However, despite individual acts of discrimination on the part of the authorities and the undisguised hostility of Christian guilds, the scale and variety of Jewish crafts continued steadily to expand. In their turn, the Jews also founded guilds to counter in an organized fashion the onslaught of non-Jewish fellow craftsmen and the activity of Jewish artisans working on their own. The latter were, beyond doubt, numerous in the sixteenth century and onwards. Though a guild can be considered the highest form of craftsmen's organisation in feudal times, lone wolves constantly on the move from one village to another were in large measure a characteristic feature of Jewish folk art up to the late nineteenth century.

По даннным Игнация Шипера, в 1820 — 1827 гг. (т. е. в период, к которому может быть отнесено значительное число сохранившихся памятников бронзового литья и медночеканного искусства на Западной Украине) в Галиции занималось различного рода ремеслами 22% еврейского мужского населения, а полвека спустя эта цифра выросла до 26,2% при соответственно 2,2% ремесленников среди мужчин-неевреев[8]. Столь широкое участие еврейских мастеров различных специальностей в ремесленной деятельности и послужило основой для создания огромного числа произведений, в том числе собственно еврейских, традиционных. Есть все основания предполагать, что вплоть до начала XX века евреи-медники продолжали изготовлять, в частности, традиционные обрядовые светильники. Указание на это мы находим в неопубликованных дневниках известного еврейского писателя и этнографа начала века Шолома Ан-ского (С. А. Раппопорта). Находясь в Галиции в 1915 г. во время боевых действий между русскими и германскими войсками, присутствуя при страшных гонениях на своих соплеменников, массовых убийствах, надругательствах над синагогами, депортации невинно обвиненных жителей, Ан-ский, ранее возглавивший широкомасштабную этнографическую экспедицию по еврейским

The number of Jewish craftsmen kept on growing vigorously. In the early eighteenth century there were several hundred craftsmen in different trades in Lvov, and by the end of that century they already numbered several thousand. According to Ignacy Schiper, 22 per cent of the Jewish males in Galicia were engaged in different types of crafts in 1820-1827; that is, the period to which the majority of the surviving bronze and copper artifacts date in Western Ukraine. Half a century later the figure grew to 26.2 per cent, while the corresponding figure among non-Jews was 2.2 per cent.[8]

This fact accounted for the enormous number of artifacts they produced, including traditional Jewish objects. There is every reason to believe that Jewish metalworkers continued to make traditional ritual lamps, among other things, up to the early twentieth century. The unpublished diaries of Sholom Ansky (S.A.Rappoport), well-known Jewish writer and ethnographer of the early twentieth century provide evidence to this effect. He witnessed military operations between Russian and German troops in Galicia in 1915, as well as the gruesome persecution of his people, their mass slaughter, the desecration of

местечкам Подолии и Волыни, продолжал собирать сведения о национальной культуре. Второго февраля 1915 г., во время посещения города Тарнова, он сделал следующую дневниковую запись: "Нашел медника, отливающего люстры в старом стиле. В России эта индустрия исчезла... Делает по новым моделям в старом стиле. Один канделябр у него купил"[9].

Вне всякого сомнения это уже было время упадка еврейского ремесла, хотя и в двадцатые—тридцатые годы в Галиции было немало мастеров, работавших в старых традициях. Об этом пишет, в частности, известный собиратель и пропагандист еврейского искусства львовский коллекционер Максимилиан Гольдштейн,[10] собрание которого лежит в основе еврейских фондов Львовского музея этнографии и художественного промысла. Конкретных сведений о работе мастеров бронзового литья в это время мы не имеем, хотя можно предположить, что они продолжали отливать подсвечники и хануккии в старых традициях, а то и просто по старым моделям. Ведь потребность в такого рода вещах у еще обширного тогда еврейского населения Западной Украины и Польши (в межвоенный период Львов входил в состав возрожденного польского государства), несомненно, сохранялась.

Этому мог способствовать и высокий престиж еврейской галицийской бронзы в Западной

synagogues and the deportation of innocent dwellers. He had previously led a large-scale ethnographic expedition to Jewish settlements in Podolia and Volyn and continued collecting material on Jewish national culture. Visiting Tarnov on February 2, 1915, he wrote the following in his diary: "I have found a metalworker who makes candelabra in old style. The trade has disappeared in Russia. ...He makes new models in old style. I have bought one candelabrum from him." [9]

At that time Jewish crafts, beyond doubt, went through a period of decline, though quite a few craftsmen still carried on the old tradition in Galicia in the 1920s and the 1930s. Well-known collector and propagandist of Jewish art Maximilian Goldstein[10] of Lvov, whose collection laid the foundation for the Jewish section in the Lvov Museum of Ethnography and Crafts, wrote about it, among other things. We lack concrete evidence of bronze casting during that period, though it can be surmised that craftsmen continued making candlesticks and Hanukah lamps in the old tradition, or downright using the old models. After all, the still numerous Jewish population in Western Ukraine and Poland (and Lvov was within the revived Polish state in the period between the two wars) did not cease to need those things.

**Хануккия.
Бронза, литье.
Высота 130 мм.
Галиция. Конец
XVIII — начало XIX вв.
Частное собрание**

**Cast-bronze Hanukah
lamp, H. 130 mm,
Galicia, late
18th-early 19th cent.,
private collection.**

Европе и Америке в XIX веке. Во второй половине прошлого столетия еврейское искусство начало осознаваться как самостоятельное, обладающее оригинальными художественными достоинствами, явление. Появились первые музейные и частные коллекции, значительное место в которых отводилось обрядовым светильникам и, в первую очередь, хануккиям. Редкая из таких коллекций обходилась без образцов, созданных на Западной Украине.

Здесь уместно будет подробнее остановиться на бронзовых хануккальных лампах, как их еще называют, составляющих наиболее представительную и разнообразную часть еврейского художественного металла на Украине. Само название "хануккальная лампа" указывает как на древность этого вида светильника, так и на его

The high prestige enjoyed by Jewish bronzes from Galicia in Western Europe and America in the nineteenth century might have promoted the development of the craft. In the second half of the past century it was regarded as an original phenomenon with a distinctive artistic merit. The first museum and private collections took shape, in which ritual candelabra, above all Hanukah lamps, were assigned a significant place. Hardly any collection did without specimens hailing from Western Ukraine.

Let us take a closer look at what is referred to as the bronze Hanukah lamps, which are most representative and versatile in the Ukrainian collections of Jewish metalwork. The very name "the

Хануккия из довоенного собрания инженера-архитектора Иосифа Авина. Львов. Фото 20-х гг.

Hanukah lamp from engineer-architect Iosif Avin's collection dating to the prewar period, a 1920s photograph.

первоначальный облик. Наиболее старые из известных ныне хануккий — глиняные лампы традиционного античного образца, имеющие, однако, восемь отверстий для фитилей, — обнаружены археологами на территории древней Палестины и относятся к талмудическому периоду.

Если в изготовлении храмовых менор мастера на протяжении многих столетий исходили из предписаний, содержащихся в Библии и Талмуде, а в виде конкретного прообраза имели изображение семисвечника из Иерусалимского Храма, каким он изображен на Триумфальной арке Тита в Риме, то канонического образа хануккии не существовало, и традиция развивалась с большой степенью свободы. Известно, что наиболее старые ханукальные лампы были выполнены из глины и даже выдолблены в камне. Однако с периода средневековья основным материалом для изготовления хануккий становится

Hanukah lamp" points to its ancient origin and primordial image. The earliest of the known Hanukah lamps — clay lamps in the traditional Antiquity style, albeit with eight sockets for the wicks — were discovered by archaeologists on the territory of ancient Palestine and belong to the Talmudic period.

While craftsmen making temple menorahs for centuries followed the Bible and Talmud prescriptions, copying the seven-branched candlestick from the Jerusalem Temple as depicted on the Titus Triumphal Arch in Rome, the Hanukah lamp had no canonic prototype so that the tradition developed with a big degree of freedom. The oldest Hanukah lamps were known to have been made of clay or even hewn of stone. Ever since the Middle Ages, however, metal, primarily silver and bronze, was mainly used for making Hanukah lamps.

металл, главным образом, серебро и бронза. Использование металла, по мнению крупного религиозного авторитета, знаменитого раввина Меира, жившего в Роттенбурге в XIII веке, диктуется не столько соображениями прочности изделия, сколько его духовной значимостью, требующей более дорогого материала.

Обращение к металлу привело к принципиальным изменениям в самой форме и конструкции хануккального светильника. Если каменные и глиняные хануккии, в послеантичный период отошедшие от традиционной формы масляной лампы, выполнялись, как правило, в виде горизонтального прямоугольного бруска с восемью выемками для масла или свечей, то металлические хануккии имеют обычно развитую орнаментальную заднюю стенку, возникшую одновременно и как рефлектор для огней, и как способ крепления светильника к стене дома или косяку двери. Со временем именно задняя стенка хануккии стала главным художественным акцентом вещи. Важное конструктивное изменение — появление вне ряда основных восьми емкостей лампы дополнительных подсвечников, число которых могло колебаться от одного до четырех и более. Их практическое значение определялось словом "шамаш" — служка, принятым для их обозначения. Поскольку каждая из восьми

According to renowned rabbi Meir, a major religious authority who lived in Rottenburg in the thirteenth century, the use of metal was dictated not so much by the considerations of durability as by the spiritual value of Hanukah lamps, which called for a more precious material.

The use of metal entailed fundamental changes in the very form and structure of the Hanukah lamp. After the Antiquity period stone and clay Hanukah lamps departed from the traditional oil lamp form and were usually made in the form of a horizontal bar with eight sockets for oil or candles. Whereas metal Hanukah lamps were usually supplied with an intricate ornamental back wall, serving simultaneously to reflect the light and to fix the lamp onto the house wall or the jamb. With the pasage of time the back wall of the Hanukah lamp came to accentuate its artistic value. The main structural change was the appearance, beyond the row of eight sockets of the lamp, of additional candelsticks, whose number ranged from one to four and even more. Their practical significance is conveyed in the word *shammash* (servant) used to denote them. With one of the eight Hanukah candles (lamps) being lit one after another on every subsequent day of the festival, an external source of light was necess-

свечей (огней) хануккии зажигается в каждый из последующих дней праздника, то для этой цели используется внешний источник огня. Для каменных и керамических хануккий — это отдельно стоящая свеча. В металлических светильниках появилась возможность установить "шамаш" на самой вещи, как правило, выше уровня основных восьми свечей. Был "шамаш" и в хануккальных храмовых менорах, в частности в хануккии из Погребища. Им служила свеча, укрепленная на девятой ветви светильника, расположенной вне его фронтальной плоскости. Кстати, и этим не ограничивалось число свечей в хануккальной меноре: у ее основания, между первым и вторым ярусом ажурного постамента, под кроной светильника, два стоящих в позе поклонения льва держали в зубах кованые ветви, завершавшиеся парными подсвечниками.

И на многих последующих хануккиях западноукраинского происхождения мы видим наряду с "шамашем" симметрично расположенную свечу, предназначенную для субботнего зажигания, а иногда и еще несколько свечей, видимо, для усиления впечатления от "праздника огней". Непременным условием является лишь их композиционное вычленение из ритуального восьмисвечника.

Хануккальные светильники, изготовленные на Западной

ary for the purpose. A separate candle was placed next to stone and ceramic Hanukah lamps. In case of metal lamps it became possible to incorporate the *shammash* into the lamp itself, usually, above the level of the main eight candles. The *shammash* was also present in temple Hanukah menorahs, in particular, the Pogrebishche Hanukah lamp. It was a candle fixed on the nineth branch of the lampstand situated outside its frontal plane. Incidentally, that Hanukah lamp had even more candles: at its base, between the first and the second tier of the lacelike pedestal, two submissive lions had in their teeth wrought twigs tipped with a pair of candlesticks.

Many of the subsequent Hanukah lamps made in Western Ukraine had, along with the shammash a symmetrically placed candle intended to be lit on Saturdays and sometimes even a number of candles, apparently, to enhance the impression of the "festival of lights". The only indispensable condition was their compositional separateness from the ritual eight-branched candelabrum.

From the point of view of their composition and ornament the Hanukah lamps made in Western Ukraine in the period from the eighteenth to the early twentieth century can be divided into several major types. The Hanukah

Ханнукия.
Бронза, литье.
Высота 155 мм.
Галиция. XIX в. ЛМЭ

Cast-bronze Hanukah lamp, H. 155 mm, Galicia, late 18th-early 19th cent., Lvov Museum of Ethnography and Crafts.

Украине в XVIII — начале XX вв., по своей композиции и орнаментальному решению могут быть подразделены на несколько основных разновидностей. Типологически, но не всегда хронологически, более ранними следует считать хануккальные светильники, в которых зажигалось масло, а не свечи. По своему изводу они, несомненно, относятся к отдаленному времени и соответствуют западноевропейским средневековым образцам, хотя могли быть изготовлены и в начале текущего столетия. Выбор масляной или свечной хануккии определялся степенью традиционности образа жизни и особенностями личного вкуса заказчика. Следует лишь отметить,

lamps burning oil rather than candles should be regarded as an earlier form typologically, if not always chronologically. Their origin, beyond doubt, goes far back in time and corresponds to West European medieval specimens, even though they could have been made in the beginning of this century. The choice between an oil or candle Hanukah lamp was determined by the degree to which the customer adhered to the traditional way of life and by his personal tastes. We come across fairly archaic specimens in the collections of West Ukrainian bronze lamps,

Хануккия. Бронза, литье. Высота 120 мм. Галиция. Конец XVIII — начало XIX в. ЛМЭ

Cast-bronze Hanukah lamp, H. 120 mm, Galicia, late 18th- early 19th cent., Lvov Museum of Ethnography and Crafts.

что в западноукраинском бронзовом литье мы встречаем светильники весьма архаичного образца, лишенные подсвечника-служки и украшенные геометрическим орнаментом столь древнего происхождения, что порой невозможно понять семантику его мотивов. Как правило, это небольшие по размерам хануккии, не превышающие в высоту и длину 12 — 15 см. Связь орнамента их задней стенки, ажурность которой откровенно противопоставлена тяжелой массивности горизонтали с емкостями для масла, с идеей огня очевидна, но солярные знаки, которые устанавливают эту связь в искусстве иных народов, встречаются в этих светильниках нечасто. В этом узоре скорее присутствует некое подобие самому пламени, и хотя здесь нет больших полированных плоскостей, нетрудно

which have no *shammash* candlestick and boast a geometrical ornament so ancient in origin that it is at times impossible to understand the semantics of its motifs. These are, as a rule, small Hanukah lamps not more than 12 centimetres high and 15 centimetres long. The ornament on their back walls, whose lightness openly contrasts the heavy massiveness of the horizontal bar with sockets for oil, is obviously linked with the idea of light, but the solar symbols used in other people's art to convey that link, are rarely found in these lamps. The motif rather imitates the flame itself, and though there are no large polished surfaces, it is easy to imagine the flame rising from the wicks reflected and, as it were,

Хануккия.
Бронза, литье.
Высота 250 мм.
Галиция. XVIII в.
ЛМЭ

Cast-bronze Hanukah lamp, H. 250 mm, Galicia, 18th cent., Lvov Museum of Ethnography and Crafts.

представить себе, как поднимающееся с фитилей пламя отражалось на этих формах, как бы взбираясь и играя на их причудливых изгибах.

Интересно, что наиболее простые и часто встречающиеся хануккии этого типа по своим формам перекликаются с сицилийскими хануккальными светильниками XV в., насколько можно судить, в частности по образцу, сохранившемуся в собрании парижского коллекционера В. Клагсбальда. Вполне вероятно, что похожая вещь была некогда завезена в Галицию переселенцами с юга Европы. Другие архаичные хануккии содержат вертикальные стенки с более сложным орнаментом, причудливо сочетающим геометрические и растительные формы. Такое смешение является одной из характерных особенностей

climbing and dancing on the fanciful curves.

The fascinating fact is that the simplest and most frequent shapes of the Hanukah lamp of this type are reminiscent of the Sicilian fifteenth century Hanukah lamps, to go by a specimen from V. Klagsbald's Paris collection. It is quite probable that a similar piece was once brought to Galicia by immigrants from southern Europe. Other archaic Hanukah lamps have vertical walls with a more intricate design fancifully mixing together geometrical and floral motifs. That mixture, though dating back to fairly distant times, was characteristic of East European peasant art up to the nineteenth century. The design was probably echoing

Хануккия в виде фасада синагоги. Бронза, литье. Высота 300 мм. Галиция. XVIII в. ЛМЭ

Cast-bronze Hanukah lamp in the shape of a synagogue, facade, H. 300 mm, Galicia, 18th cent., Lvov Museum of Ethnography and Crafts.

крестьянского искусства Восточной Европы вплоть до XIX столетия, хотя восходит оно к отдаленным эпохам. Можно говорить даже об очевидных отголосках в этом орнаменте древних языческих представлений, хотя применительно к искусству самого древнего из монотеистических народов земли это звучит парадоксально и даже кощунственно. Хочется удержаться от легковесных сопоставлений, но некоторые из таких хануккий заставляют вспомнить о скифо-сарматском зверином стиле.

Таким образом, в западноукраинских хануккальных светильниках мы встречаемся с орнаментальными мотивами даже более архаичными, чем известные науке по самым ранним хануккиям Западной Европы.

some old pagan ideas, though this suggestion may seem paradoxical and even sacrilegious with respect to the art of one of the oldest of the monotheistic peoples. I would hate to make an irresponsible comparison, but some of these Hanukah lamps call to mind the Scythian and Sarmat animal style.

West Ukrainian Hanukah lamps therefore boast ornaments even more archaic than those encountered by scholars on the earliest West European Hanukah lamps. They may reflect the play of popular imagination, as similar forms are also encountered in paper cuttings — reiseles and shivitis — which were fairly widespread in those parts in the nine-

Возможно, что они являются отголосками игры народного воображения, так как подобные формы попадаются также в вырезках из бумаги — рейзелех и шивити, которые были весьма распространены на этих территориях в XIX веке. В любом случае эти памятники могут быть смело отнесены к числу наиболее простонародных, фольклорных в еврейском декоративном искусстве нового времени.

Следующая разновидность хануккий несет в себе образ архитектуры. Это — тоже древняя традиция. Наиболее ранние из известных ныне западноевропейских светильников имеют заднюю стенку в виде фронтона готической церкви с окном-розеткой. Эти памятники соотносятся с франко-германским искусством и датируются XIV — XV вв. В украинских хануккиях XVIII — XIX столетий мы видим значительно более развитой архитектурный мотив: это фронтон здания периода Ренессанса и даже барокко с балюстрадой, колоннами, сложного абриса дверьми и окнами и двумя трубами на причудливо трактованной крыше. Сверху композицию венчают две птицы, расположенные симметрично относительно стилизованного древа или вазона. Театральность образа подчеркивается в некоторых случаях двумя несомасштабно крупными фигурами львов, образующих боковые стенки хануккии.

teenth century. At any rate, these artifacts, can be safely viewed as the most homely and folkloric specimens in Jewish decorative art of our time.

Another specimen of the Hanukah lamp follows a different old tradition and reproduces architectural forms. The earliest of the now known West European lamps have a back wall reproducing the facade of a Gothic church with a rosette window. These artifacts dating from the fourteenth and the fifteenth centuries are associated with Franco-German art. A by far more developed architectural motif is encountered in Ukrainian Hanukah lamps of the eighteenth and the nineteenth century. They reproduce the facade of a Renaissance or even Baroque buildings with balustrades, columns, intricately shaped doors and windows and two chimneys on the fancy roof. The composition is topped with two birds placed symmetrically with respects to a stylized tree or flowerpot. The theatrical image is sometimes emphasised by two inordinately big figurines of lions forming the lateral sides of the Hanukah lamp.

Scholars identify the architectural motif with the image of a stone synagogue[11] or a secular building[12]. It indisputably symbolizes the idea of a temple, which is closely linked with the meaning of the festival so that the

Исследователи отождествляют архитектурный мотив с обликом каменной синагоги[11] или светского здания[12]. Несомненно, что он символизирует идею Храма, тесно связанную с содержанием праздника, так что конкретный прообраз не имеет столь существенного значения. Читателю будет, возможно, интересно узнать, что в том же восемнадцатом веке, к которому относятся наиболее массивные и архаичные по приемам изготовления западноукраинские хануккии этого типа, у йеменских евреев бытовали каменные хануккальные светильники в виде замка-крепости. Внешне эти вещи не имеют ничего общего, но они, несомненно, связаны идеей единого прообраза.

Особенно обширна следующая группа хануккий, в основе которой лежат зооморфные мотивы. Это уже знакомые нам образы птиц, львов, оленей, геральдических одно- и двуглавых орлов. В сочетании этих мотивов, объединенных, как правило, растительным орнаментом, мастера проявляли неистощимую изобретательность. Наиболее крупный знаток и систематизатор хануккальных светильников Мордехай Наркисс, посвятивший им специальную монографию, изданную в 1939 г. в Иерусалиме, не мог знать всех разновидностей этих памятников еврейского народного творчества на Украине. Мы встречаем здесь композиции симметричные и

concrete prototype is hardly of any importance. It would, perhaps, be of interest to know that in the same eighteenth century, to which the heaviest and most archaic of West Ukrainian Hanukah lamps belong from the point of view of their production technique, Yemeni Jews had stone Hanukah lamps in the shape of a castle. The two types of lamps have nothing in common in their outward view, but the idea of a single prototype is indisputably there.

The next group of Hanukah lamps with zoomorphic motifs is especially numerous. These motifs include the by now familiar birds, lions, deer and heraldic single- and double-headed eagles. Craftsmen displayed inexhaustible inventiveness in mixing these motifs, as a rule, with the help of ornaments derived from plants. Mordechai Narkiss, a leading connoisseur and classifier of Hanukah lamps who published a special monograph on them in Jerusalem in 1939, could hardly know all the varieties of these specimens of Jewish folk art in the Ukraine. Among them are symmetrical and asymmetrical compositions based on a single figurine of a lion or the entire traditional bestiary. Some specimens are strikingly austere and monumental, while others are, on the contrary, so overloaded that it is difficult to focus on individual

Хануккия.
Бронза, литье.
Высота 270 мм.
Галиция. Конец XVIII — начало XIX вв. ЛМЭ

Cast-bronze Hanukah lamp, H. 270 mm, Galicia, late 18th- early 19th cent., Lvov Museum of Ethnography and Crafts.

асимметричные, в основе которых может быть фигура одного льва или всего традиционного бестиария. Иные из образцов поражают скупой монументальностью, другие — столь многословны, что представляется сложным рассмотреть отдельные детали. Часты ханукии грубой крестьянской отливки, с которой не убрана даже окалина, но встречаются и вещи тонко профилированные, любовно отделанные, украшенные гравировкой. Характер обработки поверхности, в частности, сочетание гравировки с фигурными штампиками напоминает приемы декорировки традиционных гуцульских изделий. Если учесть при этом, что во многих прикарпатских селах был немалый процент еврейского населения, то можно предположить, что некоторые ханукии изготовлялись и в этих центрах.

details. Crude peasant casts, even with scaling unremoved, are frequently encountered, along with finely shaped pieces lovingly adorned with engraving. Surface decoration, in particular the combination of engraving with figured stamping, brings to mind the decoration technique used in traditional West Ukrainian artifacts. If we take into account the fact that Jews constituted a significant portion of the population in many Carpathian villages, we can suppose that some Hanukah lamps were made in those centres. This supposition is indirectly confirmed if we compare the ornament on the back wall of those Hanukah lamps with the traditional patterns of West Ukrainian stove tiles. They share the same motifs of symmetrically

Косвенное подтверждение этому предположению дает и сопоставление орнамента задней стенки хануккии с традиционным узором гуцульского печного изразца. Одни и те же мотивы: симметрично стоящие олени, птицы на ветвях древа жизни; тот же композиционный прием; значительная близость в трактовке традиционных образов. Традиционное бронзовое литье и гуцульские печные изразцы, быть может, — наиболее яркий пример взаимодействия художественных традиций двух живших бок о бок народов. Известны кожаные сумки плотогонов "табивки", украшенные металлическими вставками с коронованными львами, стоящими по обе стороны горы Синая — образ однозначно еврейский, по своей трактовке, как-будто сошедший с хануккального светильника. И в гуцульских изразцах "кахлях" мы встречаем не только реминисценции типично еврейского орнамента, но и сюжетные композиции, в которых участвуют евреи, и даже присутствуют портретные изображения раввинов.

С другой стороны, образный строй западноукраинских хануккий несет на себе следы активного влияния украинского народного искусства, о чем справедливо писал П. Н. Жолтовский. Влияние это ощутимо как в местных, рожденных на этой земле композициях, так и в стилевом развитии образцов, почерпнутых из ремесла За-

placed deer and birds on the branches of the tree of life, the same compositional solution and considerable similarity in the interpretation of traditional images. Traditional bronzes and West Ukrainian stove tiles offer, perhaps, the most graphic example of the interaction of artistic traditions of two peoples living side by side. West Ukrainian craftsmen are known to have *tabivka* leather bags adorned with metal strips portraying crowned lions standing on both sides of Mount Sinai — an unequivocally Jewish image which in its treatment seems to have come out of a Hanukah lamp. West Ukrainian *kakhlya* tiles contain not only reminiscences of a typically Jewish ornament but also compositions involving Jews and even portraits of rabbis.

On the other hand, the imagery of West Ukrainian Hanukah lamps bears an imprint of a vigorous influence of Ukrainian folk art, as has been justly pointed out by Pavel Zholtovsky. This influence is felt in both local compositions, born on this land, and in the stylistic development of images borrowed from the West European craft. The influence of local folk traditions is so big that the borrowed forms turn out to be the transmuted elements of folklore. Deliberate one-dimensional representation, emphasis on the perception of the silhouette, fan-

Люстра.
Бронза, литье.
Большая синагога в
Жолкве. Фото 20-х гг.

Cast-bronze
chandelier, Great
Synagogue at
Zholkva, a 1920s
photograph.

падной Европы. Воздействие местных народных традиций столь велико, что заимствованные формы оказываются претворенными стихией народного творчества. Нарочитая плоскостность, акцент на силуэтное восприятие, наличие сказочных, лишенных природных прототипов форм, смысловая диспропорция отдельных частей композиции, другие характерно фольклорные особенности объединяют все разновидности западноукраинских хануккий и образуют из них цельное, до известной степени замкнутое явление. Интересно, что при значительной активности в восприятии чужеземных форм, галицийские мастера никогда не вводили в декор хануккальных светильников человеческие фигуры и, в частности, сцены из Ветхого завета, какие мы встречаем немало, например, в итальянских хануккиях эпохи

tastic shapes with no prototypes in nature, the conceptual disproportion between the individual parts of the composition and other typically folkloric peculiarities are what all the varieties of West Ukrainian Hanukah lamps have in common and what makes them an integral and to a certain extent closed phenomenon. It is noteworthy that, though they fairly actively assimilated alien forms, the Galician craftsmen never introduced human figures in the decoration of the Hanukah lamps, nor, in particular, Old Testament scenes, which were widespread, for instance, in Italian Hanukah lamps of the Renaissance period. They avoided the interpretation of details, which was characteristic of specimens from Central and Western Poland in, say, Vilnius museums.

Ренессанса. Здешние ремесленники избегали торжественной парадности форм, известной салонности в трактовке деталей, знакомой нам по работам мастеров из центральной и западной Польши, имеющимся, в частности, в вильнюсских музеях. И это относится не только к хануккальным светильникам, но ко всей еврейской бронзе и меди этого региона. Субботние подсвечники на одну и несколько свечей, массивные, тяжелые, полностью лишенные декора, но зато весьма выразительные по форме. Канделябры с фигурами коронованных львов и орлов, уводящих в великое прошлое народа. Синагогальные люстры-пауки, огонь которых блуждал в сложных многоярусных формах, отражаясь от цветов-рефлекторов. Все эти вещи имеют свои рафинированные прототипы в профессиональном искусстве, и тем не менее все они созданы и живут по совсем другим законам — законам народного искусства.

Об этом приходится говорить особо, потому что далеко не во всех странах рассеяния евреи создали свою народную культуру. Там, где они жили, преимущественно в городах, где ремесло не получило столь большого развития, где, наконец, ученость давлела над простонародностью, еврейское искусство не обретало черт фольклорности. И если это с такой силой и широтой произошло на Украине в XVIII — XIX вв.,

This is true not only of the Hanukah lamps but also of the whole of Jewish bronze and copper artifacts coming from that region. Sabbath candlesticks for one or several candles are massive, heavy and utterly devoid of decoration, but instead have expressive shapes. The candelabra are adorned with the figurines of crowned lions and eagles going far back into the great past of the Jewish people. The synagogue spider-like chandeliers gave out lights, which meandered through the complicated multi-tiered forms and reflected from the reflector-flowers. Though all those things had their refined prototypes in professional art, they were created and continued living according to entirely different laws, those of folk art.

This point deserves special mention, because it was not in every country they lived in that the Jews managed to produce their own folk culture. Wherever they settled primarily in towns and cities, wherever crafts failed to develop extensively, and wherever the learned were more numerous than the common people, Jewish art lacked folkloric features. There were certain special reasons for the contrary trend to have developed on such a grand scale in the Ukraine in the eighteenth and the nineteenth centuries. The Jews settled there

то для этого были и некоторые особые причины. Большая часть еврейского населения жила здесь в маленьких городах, местечках, иногда деревнях. Естественная бедность и нищета вынуждали к поискам заработка в физическом труде, в частности в ремесле. По законам народного искусства наличие большого коллектива мастеров, передающих секреты ремесла по наследству от отца к сыну, ведет к формированию стойких и самобытных художественных традиций. Благодатное воздействие оказывала и инонациональная среда — народное искусство Украины относится к числу наиболее ярких и плодотворных явлений в фольклорной культуре Европы.

И наконец, немаловажным фактором следует считать формирование и развитие в этих районах Украины яркого демократического течения в религиозной жизни евреев — хасидизма. Сложившись в середине XVIII века в Подолии, хасидизм быстро перекинулся на территории Галиции, Волыни, Буковины, некоторых районов Белоруссии и Польши. В основе этого учения лежали определенные мистические элементы, своей сказочностью и обращенностью к эмоциональной сфере человека объективно близкие фольклорной культуре. Вероятно, в этом — одна из причин столь бурного развития еврейского народного искусства на территории Украины

for the most part in small towns, settlements and sometimes villages. Their natural poverty and destitution forced them to do manual work for a living and in particular to engage in crafts. In keeping with the laws of folklore, a large group of craftsmen, who pass on the secrets of the craft from father to son, promotes the development of stable and original artistic traditions. A favourable influence was also exercised by the proximity of a different nation: Ukrainian folk art is considered to be one of the more vibrant and fruitful phenomena in European folk culture.

And last but not least, the development of Chassidism, a vivid democratic trend in Jewish religious life, was a factor of no small importance. It originated in Podolia in the mid-eighteenth century and quickly spread to Galicia, Volyn, Bukovina and some regions of Byelorussia and Poland. That teaching was based on certain mystical elements, whose fairy-tale nature and invocation to man's emotions were objectively akin to folkloric culture. That might be one of the reasons behind the vigorous development of Jewish folk art in the Ukraine in that period. Neither Lithuania, nor Byelorussia, nor Poland saw such a tremendous outburst of collective artistic genius among the Jews, with the exception of individual types of art,

Обрядовая двуручная кружка. Красная медь, ковка. Высота 190 мм. Галиция. XIX в. ЛМЭ

Wrought-copper ritual cup with two handles, H. 190 mm, Galicia, 19th cent., Lvov Museum of Ethnography and Crafts.

в данный период. Ни Литва, ни Белоруссия, ни Польша не дают, за исключением отдельных видов искусства, в частности строительства и оформления интерьеров синагог, столь высокого всплеска коллективной художественной одаренности среди евреев. Наиболее прямое и активное воздействие хасидизма испытала народная художественная культура: он вызвал к жизни целый пласт легенд и преданий; способствовал утверждению новых форм народной музыки, пения и танца; повысил интерес к определенным видам национальной одежды; вновь утвердил роль традиционной обрядовости; объективно создал условия для более полного и яркого проявления

such as the building and interior decoration of synagogues. Chassidism had the most direct and intense influence on folk art by bringing to life an entire stratum of legends, promoting new forms of folk music, songs and dance, nurturing interest in certain types of national clothing and re-establishing the importance of traditional rituals, and objectively created conditions for a fuller and brighter reflection of the religious and national element in the entire make-up and way of life of the East European Jewry. The appearance and development of Chassidism obstructed the assimilation processes, which markedly enhanced in Western and

религиозно-национального начала во всем облике и образе жизни восточноевропейского еврейства. Зарождение и развитие хасидизма препятствовало ассимиляционным процессам, которые заметно усилились в XVIII веке в Западной и Центральной Европе. Одним из аспектов этого противоборства и стала упорная приверженность традициям, в частности в творчестве народных мастеров.

Своеобразие народного течения в еврейском декоративном искусстве становится особенно очевидным при сопоставлении его памятников с фабричными изделиями обрядового характера, выпуск которых был налажен во второй половине прошлого столетия рядом варшавских промышленников. Это, в первую очередь, субботние подсвечники и хануккии, изготовлявшиеся из серебра, белого металла типа нейзильбера и посеребренной латуни на фабриках и в мастерских Фраже, Плевкевича, Норблина, Хеннебергов и др. В основе всех этих вещей лежит использование штампа, позволявшего создать вычурную, перегруженную деталями и декоративными средствами композицию. И хотя здесь мы находим все те же мотивы традиционного национального орнамента, что и в работах народных мастеров, эти вещи кажутся относящимися к совершенно иной культуре. В творчестве медников все подлинно и однозначно — материал выступает

Central Europe in the eighteenth century. One of the aspects of that obstruction was the stubborn adherence to tradition, in particular in crafts. The peculiarity of the folk trend in Jewish decorative art leaps to the eye when we compare these artifacts with factory-made ritual objects, the production of which was launched in the second half of the past century by a number of Warsaw industrialists, among others. The factories and workshops of Fraget, Plewkewicz, Norblin, Hennberg and others made primarily Sabbath candlesticks and Hanukah lamps of silver, white metal of the type of German silver and silver-plated brass. All these objects were produced with the help of dies which allowed to create a pompous composition overloaded with details and decorative means. Though their motifs are similar to the traditional national ornament craftsmen employed, the factory-made objects seem to belong to an entirely different culture. In the hands of copper forgers the material looked natural, was never gilded, silver-plated or painted. Its surface was, usually, left unworked, and the emphasis was on the structural simplicity and production technique. From the point of view of decoration the national tradition prevailed over the style dominating decorative art in a given period. In factory-made ob-

в своей природной сути, никогда не золотится, не серебрится, не красится; его поверхность, как правило, даже не обрабатывается; подчеркивается конструктивная простота и способ изготовления вещи; национальная традиция в декоре превалирует над господствующим в данный период в декоративном искусстве стилем. В фабричных же изделиях гальваническое покрытие латуни иммитирует серебро; весьма искусное использование штампов подменяет для неискушенного зрителя чеканку и гравировку; импозантность и претенциозность вещи подчеркивается изобилием форм барокко, рококо, классицизма и ампира, образующих порой совершенно нелепые сочетания.

Эти вещи, стоившие в свое время значительно выше подлинных произведений ремесла, были адресованы, в первую очередь, городскому потребителю. Они получили распространение во вполне определенной среде, утратившей связь с традициями народного художественного восприятия и в то же время не доросшей до понимания настоящего профессионального искусства. Об этом приходится говорить особо, так как на наших территориях в еврейской культуре профессионального декоративного искусства сформировать так и не удалось, и, за редкими исключениями, отрыв от народных традиций неизбежно приводил к утрате художественного качества.

jects electroplating of brass imitated silver, while the skilful use of dies replaced embossing and engraving for inexperienced viewers. The profusion of Baroque, Rococo, classical and Empire traits, at times forming an absurd mixture, made the objects look especially flamboyant and pretentious.

Costing in their time much more than true works of art produced by craftsmen, those objects were made primarily for urban residents. They became widespread among a definite group of people who had lost touch with the traditions of popular artistic perception and yet fell short of understanding genuine professional art. This has to be spelt out in so many words, because Jewish culture failed to produce professional decorative art on our territory, while its divorce from the folk traditions, with rare exceptions, inevitably resulted in the loss of artistic quality. It could be that precisely that inability of East European Jewish culture to pass on from crafts to professional art underpinned recalcitrant traditionalism and even conservatism in the forms and decoration of objects.

This is especially demonstrated by the fairly copious collections of synagogue and household utensils preserved in the country's museums. Most graphic in this respect are copper cups

Фрагмент решетки бимы — возвышения в синагоге, с которого читается свиток Торы. Железо, ковка. XVIII в. Большая синагога в Жолкве. Фото 20-х гг.

Detail of a wrought-iron Bimah grating, 18th cent., Great Synagogue at Zholkva, a 1920s photograph.

Быть может, именно это отсутствие возможности перехода от ремесла к профессиональному искусству в еврейской культуре восточноевропейского региона являлось одной из основ прямой традиционности и даже консервативности в формах и декоре изделий.

Это особенно заметно на достаточно обширном материале синагогальной и бытовой утвари, сохранившейся в музеях страны. К числу наиболее ярких таких произведений относятся двуручные медные кружки, использовавшиеся для омовения перед началом богослужения. Как правило, эти кружки, конструкция и порядок использования которых четко предписаны религиозной традицией,

with two handles used for ablution before starting the service. These cups, whose structure and manner of use were strictly prescribed by the religious tradition, outwardly differed little from ordinary peasant utensils. Simple and massive in form, they were made of thick red copper, their upper edge girdled with a hoop. Most of those cups were devoid of decoration or bore a modest ornamental strip along the upper edge. The Lvov Museum of Ethnography and Crafts, however, has several excellent cups decorated with an engraved and embossed ornament.

внешне мало отличаются от обычной крестьянской утвари. Они склепаны из толстой красной меди, сверху перехвачены обручем, имеют простую массивную форму. Бóльшая часть таких кружек лишена прикрас или содержит скромный орнаментальный поясок вдоль верхнего борта. Во Львовском музее этнографии и художественного промысла имеется несколько великолепно декорированных кружек с гравированным и чеканным орнаментом.

Мотивы орнамента традиционны: растительные формы сочетаются с изображениями льва, единорога, птиц, двуглавого орла. Здесь, как и в светильниках, двуглавый и одноглавый орлы — символы соответственно Российской и Австро-Венгерской монархий или Польского королевства — решаются с обезоруживающей наивностью. Знак могущества — корона — сочетается в трактовке двуглавого орла на одной из кружек с простодушно открытым сердцем в центре фигуры, побегами полевых цветов в лапах птицы, почти натуралистической разработкой ее оперения. Под стать орлу и утрачивающие свой высокий библейский смысл фигуры предстоящих льва и единорога. Даже растительный орнамент в этих вещах дышит какой-то наивностью и непосредственностью. Вспоминается меткое наблюдение одного из первых исследователей еврейского искусства

It consists of traditional motifs in which foliate shapes are combined with the representations of lions, unicorns, birds and double-headed eagles. Just like in lamps, the double- and single-headed eagles, symbolising respectively the Russian and the Austro-Hungarian Empire or the Polish Kingdom, are portrayed with disarming naivety. One of the cups has a double-headed eagle with a crown, a symbol of potency, combined with a guilelessly open heart in the centre of the bird which clutches shoots of field flowers in its claws and has feathers worked out with almost naturalistic precision. Akin to the eagle are figures of a lion and a unicorn, placed at the forefront and devoid of their lofty Biblical meaning. Even the plant ornament in these objects exudes naivety and simple-heartedness. It brings to mind an apt observation made by Rachel Bernstein-Vishnitser, one of the first students of Jewish art in Tsarist Russia. "...Most of Jewish ceremonial utensils bear a certain imprint. It is as yet impossible to decide whether it reflected the taste of the craftsman or that of the Jewish customer. What distinguishes these objects at first glance is that they have some humorous keynote." [13] This sensation never leaves the viewer scrutinising pieces of Jewish folk art,

в царской России Рахили Бернштейн-Вишницер: "... На большинстве предметов еврейской обрядовой утвари лежит определенный отпечаток. Сказался ли в них вкус мастера или только заказчика-еврея, вопрос пока неразрешимый. И вот, что на первый же взгляд отличает эти предметы — во всем их облике сквозит какая-то юмористическая нотка"[13]. Это общущение действительно не покидает зрителя при рассмотрении памятников еврейского народного искусства, будь то традиционная бронза, вырезки из бумаги, резьба на каменных надгробьях или роспись обрядового фаянса.

Вероятно, все же не было принципиальной разницы между мастером и заказчиком — они были людьми одного круга, одних представлений, общего мировосприятия. И в отношениях к традиции они были едины: тщательно оберегая доставшееся от отцов, находя, в частности, национальную самоидентификацию в этих традициях, они актуализировали их взглядами своего поколения. Из этого сочетания вечного и сиюминутного, случайного и возникает ощущение наивности, которая пронизывает все еврейское народное искусство, служа своеобразным проявлением его жизненности.

К числу ярких примеров вещей такого рода относятся чеканные одноручная кружка и сосуд для приготовления рыбы (?)

be it traditional bronzes, paper cuttings, carved tombstones or painted ceremonial faience.

There was, probably, no fundamental difference between the craftsman and the customer: they belonged to the same milieu and shared the same ideas and the same world outlook. Their attitude to tradition was also the same: carefully safeguarding what they had inherited from their fathers and finding in these traditions, among other things, their national self-identification, they actualised them in the views of their generation. This combination of the eternal and the transitory gives birth to a sense of naivety which pervades the whole of Jewish folk art and is a manifestation of its vitality.

An embossed one-handled cup and a vessel to prepare fish from the same museum collection are graphic examples of this type of objects. They are made of red copper and decorated with a raised foliate ornament incorporating the traditional motifs of the cohan's blessing hands, the lion and the fish. The cup is of special interest. Its forms are not so archaic as those of the cups with two handles, though its motifs confirm its ritual function. Its shape and the interpretation of flowers and fruit make it akin to Ukrainian folk ceramics. The craftsman is not bothered by the obvious analogy with the earth-

из собрания того же музея. Они выполнены из красной меди и украшены рельефным растительным орнаментом, в который вкомпонованы традиционные мотивы: благословляющие руки кохена, лев и рыба. Особенно интересна кружка. Формы ее не столь архаичны, как у двуручных кружек, хотя упомянутые мотивы подтверждают ее ритуальное назначение. По форме и трактовке цветов и плодов она близка к народной украинской керамике. Мастера не смущает ни эта очевидная близость формам глиняной посуды, ни сочетание на одной ветви, огибающей тулово кружки, совершенно различных плодов и листьев. Даже лев как-будто произрастает на той же ветви: его фигура лишь намечена, изображены морда со смешными кошачьими ушами и грива — остальное отдано на воображение зрителя. В свою очередь и рыба на крышке второго сосуда вкомпонована в широкий обрамляющий ее пояс, в котором цветы причудливо сочетаются с реалистически трактованным лебедем и фантастическим полутритоном-полудельфином, а между всем этим расположены неожиданные картуши, в облике которых есть тоже нечто диковинное.

Двуплановость и известная ирреальность традиционной медночеканной утвари может проявляться весьма различно. Двуручная кружка, которая используется для обрядового

enware shapes nor by the juxtaposition of utterly different fruit and leaves on one and the same branch entwining the body of the cup. Even the lion seems to grow out of the same branch: its figure merely sketched, the muzzle portrayed with funny-looking cat's ears and mane, and the rest left for the viewers to imagine. In its turn, the fish on the lid of the other vessel is encircled by a broad belt in which the flowers are fancifully combined with a realistically portrayed swan and a fantastic half-triton half-dolphin and bizarre-looking cartouches unexpectedly in-between.

The ambiguity and certain irreality of traditional chased-copper utensils can be manifest in diverse forms. A cup with two handles used by the rabbi for ablution before the religious service will, of course, seem strange to anyone unfamiliar with the peculiarities of the ritual. However, even those aware of its function may be amazed to see a cup with four handles, which was wrought by a Jewish craftsman in Galicia in the past century. It was meant to be used just like the one with two handles, but the master apparently wanted to emphasise its exclusive character. The artistic impression of these unusual things stems from the contrast between the crudely chased and riveted big tubs, used to store and

омовения рук раввина перед богослужением, несомненно, покажется странной для не знающего особенностей ритуала. Но и для понимающего назначение этой вещи диковинной является кружка с четырьмя ручками, выкованная в прошлом веке еврейским мастером в Галиции. Она использовалась также как двуручная, но автор, вероятно, хотел еще сильнее подчеркнуть особый, не бытовой характер вещи. На принципе контраста грубо чеканенных и клепанных больших лоханей для хранения и выварки посуды к празднику Пасхи с рельефным узором, напоминающим о правилах чистоты пищи, строится художественный облик этих необычных вещей. Подобной утвари почти нет в других музеях Европы. Можно предположить, что еврейские мастера на Украине в числе последних занимались ее изготовлением. Изображения оленей, рыб, змей и птиц на этих сосудах свидетельствуют об особых формах анималистики в еврейском народном искусстве, коррегирующих легко узнаваемые природные зооморфные мотивы с традиционными религиозными представлениями, придающими этим мотивам аллегорический смысл.

Наряду с этим в обиходе еврейского населения существовала и более обыденная медная посуда и утварь. Это — и блюда особых форм для пасхальной трапезы с соответствующими надписями; и медные

boil vessels for the Passover festival, and the raised ornament reminding of the rules of the purity of food. Similar utensils are hardly ever encountered in other European museums. It is logical to surmise that Jewish craftsmen in the Ukraine were among the last to make things of this type. The deer, fish, snakes and birds pictured on these vessels attest to a special way of representating animals in Jewish folk art, in which the easily recognizable natural zoomorphic motifs were adjusted to the traditional religious notions and imbued with an allegorical meaning.

Ordinary copper vessels and utensils were also widespread in Jewish households. They were dishes for the Passover meal, which had special shapes and corresponding inscriptions, copper barrels to store water, and an entire set of kitchenware widespread, for example, among the Jews in Byelorussia. Symptomatically enough, in their proportions and silhouettes those chased copper jugs of different shapes, pots, kettles and so on were reminiscent of black-glazed clay vessels also widespread among the Jews on those territories. There was a fundamental reason behind the use of black-glazed ceramics, as the traditional norms ensuring the ritual purity of food were observed in their production. This influence, in its turn, had a bear-

бочки для хранения воды; и целый набор кухонной утвари, широко распространенной, в частности, у белорусских евреев. Характерно, что такие медночеканные кувшины различных форм, таганки, кастрюли и прочее по пропорциям и силуэтам напоминают чернолощеную глиняную посуду, также широко применявшуюся у еврейского населения на этих территориях. Использование чернолощеной керамики имело принципиальное основание, так как при ее изготовлении не нарушались традиционные нормы, обеспечивающие ритуальную чистоту пищи. В свою очередь это влияние отразилось на формах медночеканной утвари, в которой ощущается и известное воздействие восточных традиций. Вполне вероятно, что использование такого рода изделий имеет у евреев длительную историю. В любом случае местное население однозначно относит эти вещи к традиционному еврейскому обиходу.

Большинство из сохранившихся в музеях вещей этого круга датируется концом XIX — началом XX вв. Однако в обращении они были еще в двадцатые и даже тридцатые годы. При их изготовлении наряду с выколоткой, чеканкой и гравировкой, знакомым нам по работам западноукраинских мастеров, использовалась уже и пайка. В то же время для получения формы способом выколотки

ing on the shapes of chased copper utensils, in which one feels a certain impact of Oriental traditions. It is quite probable that the Jews used similar objects for a long historical period. At any rate, the local people univocally associated those things with traditional Jewish households.

Most of this type of artifacts in museum collections are dated the late nineteenth and the early twentieth century. They were still in use in the 1920s and the 1930s, however. Besides embossing, chasing and engraving familiar to us from the works by West Ukrainian craftsmen, soldering was also employed in making these things. At the same time, to produce different shapes with the help of embossing, craftsmen resorted to archaic techniques, which endowed the surface with a patently handmade, rich texture. Scholars point out that those craftsmen, called the kotlyars (cauldron-makers), spent years in apprenticeship and their works were highly prized among the inhabitants of settlements and small towns.

Closing this short review of the art of Jewish craftsmen working with base metals, I should say that quite a few of them were remarkable smiths. Alongside making ordinary household objects, they sometimes produced splendid lacelike gratings for synagogue interiors, wrought cande-

мастера прибегали к очень архаичным приемам, что придавало поверхности изделия ощутимо рукотворную богатую текстуру. Исследователи отмечают, что эти мастера, называвшиеся котлярами, проходили долгое обучение, и их работы высоко ценились среди жителей местечек и маленьких городов.

Заканчивая этот краткий обзор творчества евреев-ремесленников, работавших в области художественной обработки недрагоценных металлов, следует отметить, что среди этих мастеров было немало замечательных кузнецов. Занимаясь в основном обыденной работой, они иногда выполняли великолепные ажурные решетки для интерьеров синагог, кованые подсвечники, оковки дверей, ставень и сундуков. Сохранился рисунок кованой железной двери синагоги Старого Быхова, датируемой серединой семнадцатого века. В этом выполненном с большим вкусом произведении национальный орнамент трактован с уверенностью, позволяющей предположить, что такого рода работы были в тот период в Белоруссии отнюдь не единичны, что ремесленное творчество кузнецов-евреев находилось на определенной высоте.

О высоком престиже, которым работа мастеров художественной обработки металла и сами их изделия обладали в народной среде,

labra and bindings for doors, shutters and chests. There survived a drawing of a wrought iron door for the Stary Bykhov synagogue dating the mid-seventeenth century. The flair, with which the national ornament was interpreted in this tasteful ironwork, prompts the conclusion that works of that type were far from isolated instances in Byelorussia at that time and that Jewish smiths had attained certain heights in their craft.

The numerous reflections of those traditional things in other types of folk art offer indirect evidence of the high prestige enjoyed by metalworkers and their products among the people. This, naturally, refers above all to candelabra portrayed in synagogue paintings, paper cuttings, gold-thread embroidery and carved stone, etc. Their craft was extolled in folklore, their characters were portrayed in pieces of literature. It is to be hoped that the present publication will start bringing their works back into the mainstream of contemporary culture.

Marc Chagall, a great painter of the twentieth century, is known throughout the world. But few people are familiar with the work of his first teacher Yehudi Pan, an artist from Vitebsk, who stood at the sources of Jewish professional art in this country and tutored a galaxy of Vitebsk artists.

косвенно свидетельствуют и многочисленные отражения этих традиционных вещей в других видах народного творчества. Это, в первую очередь, относится к светильникам, изображения которых мы находим в росписях синагог, вырезках из бумаги, золотной вышивке, резьбе по камню и др. Труд мастеров воспет в фольклоре, их образ запечатлен в литературе. Издание настоящего альбома, надо надеяться, послужит началом возвращения их творчества в культурный кругозор наших современников.

The latter have left a notable imprint on Jewish art, which has to this day earned little recognition. *Jewish Artists From Vitebsk*, the next book to be published in the *Masterpieces of Jewish Art* series, will deal with the work of Yehudi Pan and his disciples. Drawing on documents unearthed by him, art critic Grigory Kazovsky describes in his book the original school of Jewish art that emerged in Vitebsk in the early 20th century. Most of works included in the book are published for the first time.

“И послал царь Соломон, и взял из Тира Хирама,

Сына одной вдовы, из колена Неффалимова. Отец его, Тирянин, был медник; он владел способностию, искусством и уменьем выделывать всякие вещи из меди. И пришел он к царю Соломону, и производил у него всякие работы.

... И изваял он... херувимов, львов и пальмы, сколько где позволяло место, и вокруг развесистые венки”.

Библия. Третья книга царств, 7

“And King Solomon sent and brought Hiram from Tyre. He was the son of a widow of the tribe of Naph'tall, and his father was a man of Tyre, a worker in bronze; and he was full of wisdom, understanding, and skill, for making any work in bronze. He came to King Solomon, and did all his work.

...And ... he carved cherubim, lions, and palm trees, according to the space of each, with wreaths round about.”

1 Kings 7.13-14; 36

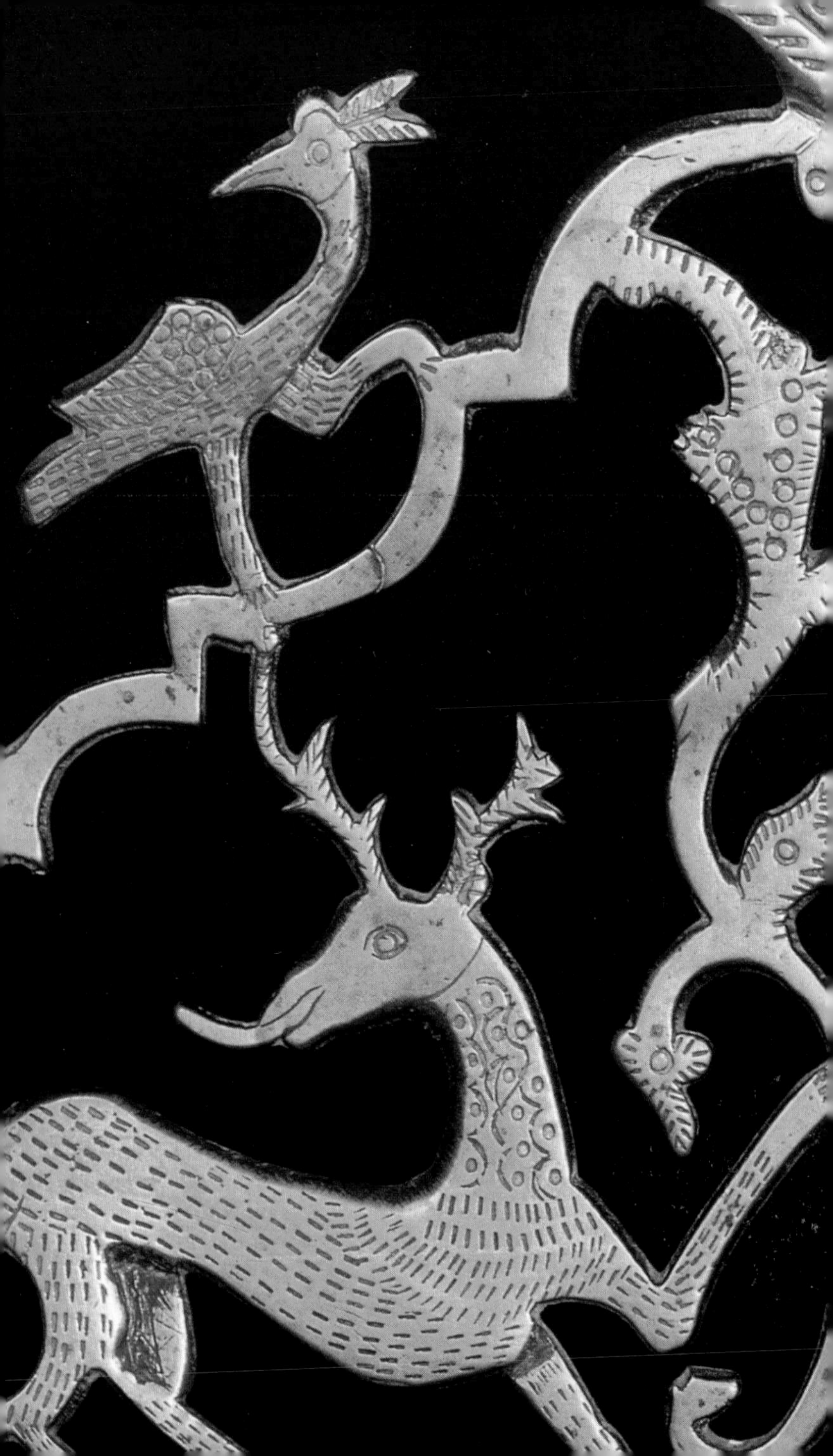

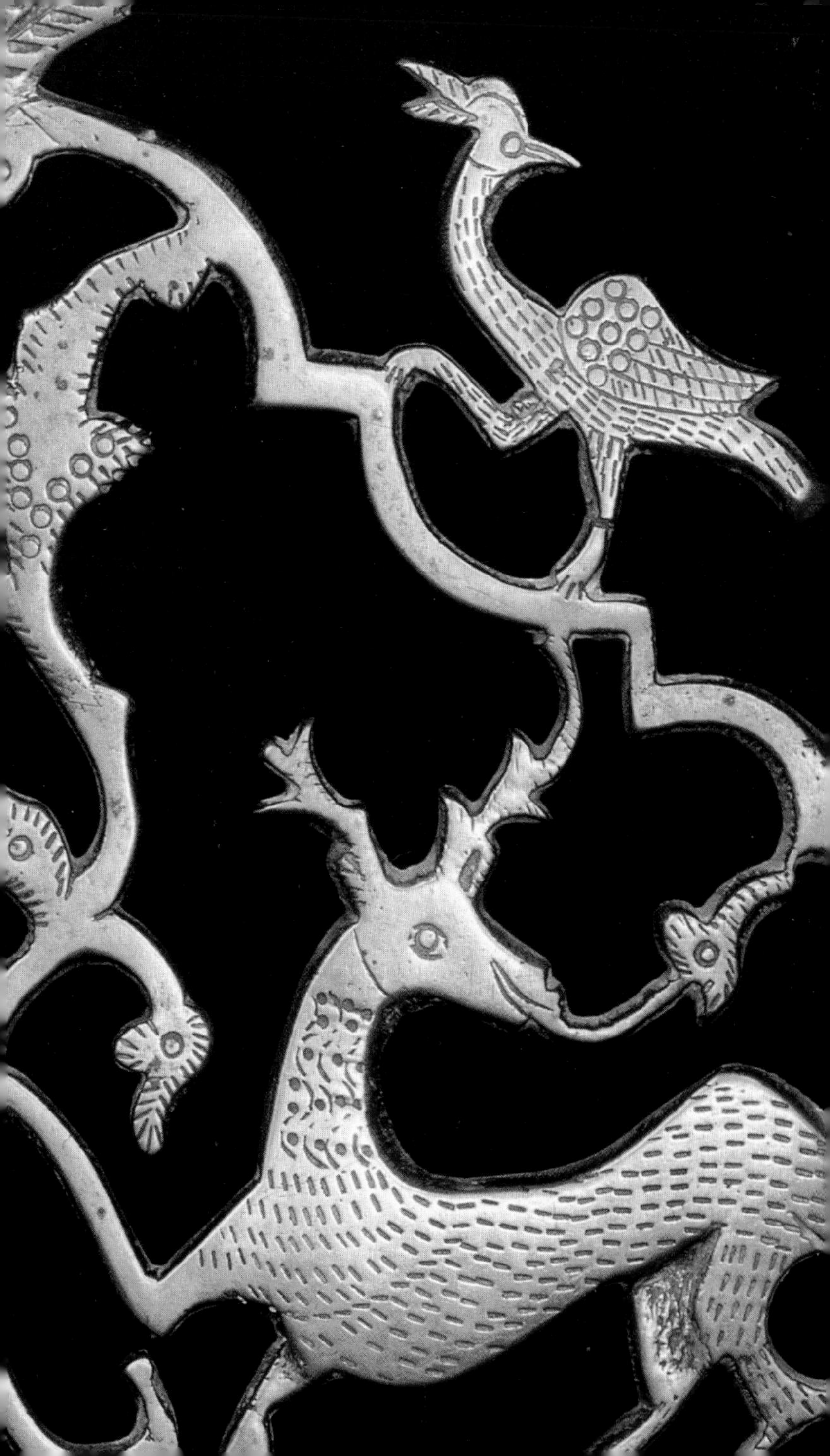

Фрагмент хануккии.

Бронза, литье, гравировка.
Галиция. Конец XVIII в.

Detail of a cast-bronze Hanukah
lamp with engraving, Galicia,
late 18th-early 19th cent.

←

Интерьер Большой синагоги в Жолкве.

Фото 20-х гг.

Interior of the Great Synagogue at Zholkva,
a 1920s photograph.

Решетка Аарон-Хакодеша.

Железо, ковка, бронза, литье.
Высота 1700 мм. XVIII в.
Большая синагога в Жолкве.
Фото 20-х гг.

Wrought-iron, cast-bronze Torah Ark grating,
H. 1700 mm, 18th cent.,
Great Synagogue at Zholkva,
a 1920s photograph.

Фрагмент решетки бимы.

Железо, ковка. XVIII в.
Большая синагога в Жолкве.
Фото 20-х гг.

Detail of a wrought iron Bimah grating,
18th cent., Great Synagogue at Zholkva,
a 1920s photograph.

Фрагмент Аарон-Хакодеша
Большой синагоги в Вильнюсе.

Медь, чеканка, полихромия.
Высота 1300 мм. Литва. XVII в. (?)
Вильнюсский еврейский музей

Detail of a multicoloured chased copper Torah Ark
from the Great Synagogue in Vilnius, H.1300mm,
Lithuania, 17th cent. (?),
Vilnius Jewish Museum.

אנכי יי
לא יהי
לא תשא
זכור את
כבד את
לא תרצח
לא תנאף
לא תגנב
לא תענה
לא תחמד

Фрагмент Аарон-Хакодеша.

Большая синагога в Жолкве.
Фото 20-х гг.

Detail of the Torah Ark,
Great Synagogue at Zholkva,
a 1920s photograph.

דע
לפני מי
אתה
עומד
לפני
מלך
מלכי
המלכים
הק בה

Подсвечник, входящий
в ансамбль Аарон-Хакодеша.

Латунь, чеканка, гравировка, серебрение.
Высота 1320 мм. Польша (?) XIX в. ВХМ

Silver-plated brass Torah Ark candlestick
with chasing and engraving, H. 1320 mm,
Poland (?), 19th cent.,
Vilnius Museum of Arts.

יהוה
לנגדי תמיד

Фрагмент подсвечника, входящего
в ансамбль Аарон-Хакодеша.

Латунь, чеканка, гравировка, серебрение.
Высота 905 мм. Польша (?)
Конец XVIII — начало XIX вв. ВХМ

Detail of a silver-plated brass Torah Ark
candlestick with chasing and engraving, H. 905 mm,
Poland (?), late 18th-early 19th cent.,
Vilnius Museum of Arts.

שויתי
לנגדי תמיד

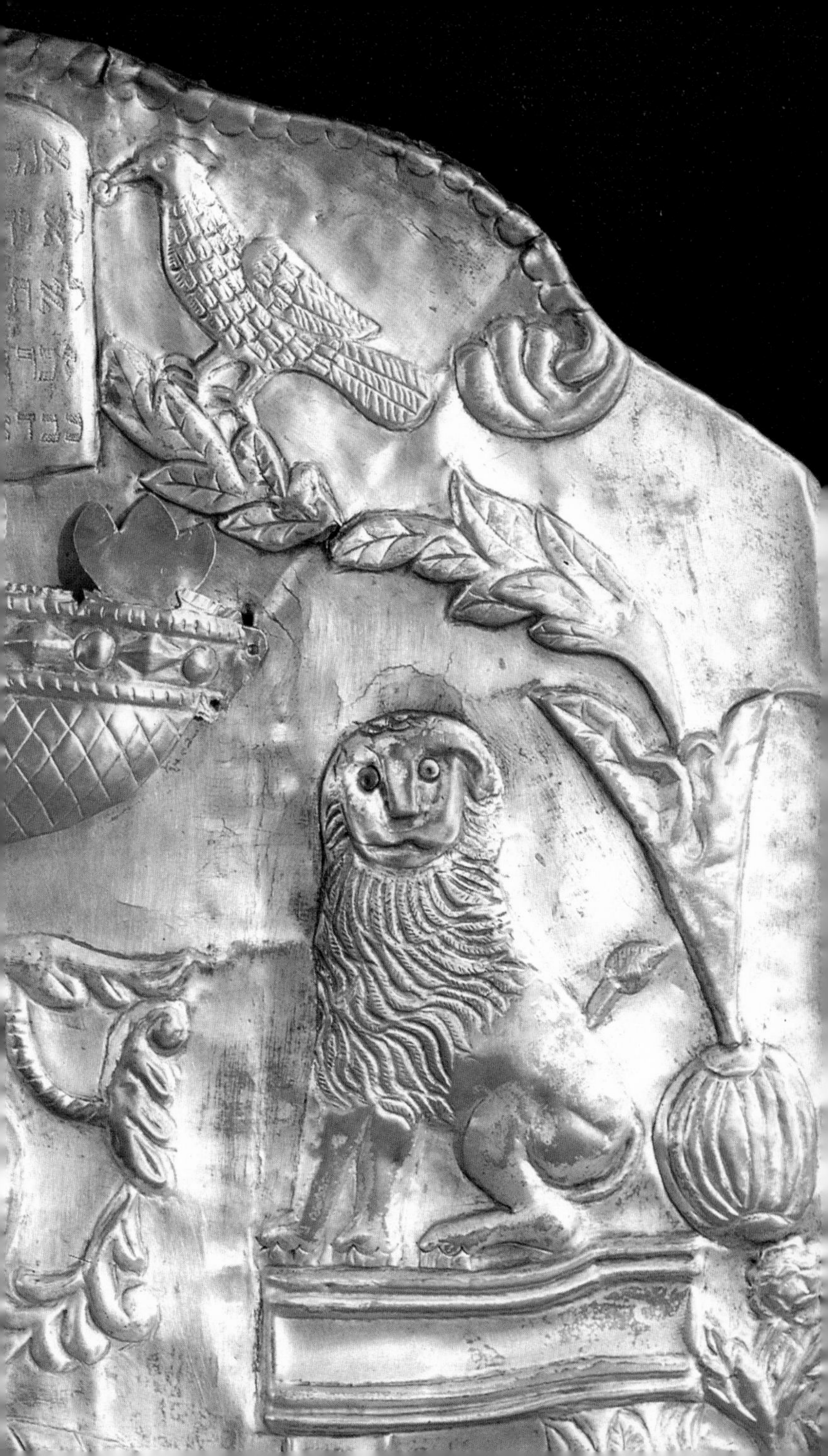

Скрижали Завета
с предстоящими птицами и львами.
Деталь подсвечника

Detail of a candelabrum with Decalogue
and birds and lions in front.
←

Фрагмент подсвечника,
входящего в ансамбль Аарон-Хакодеша.
Латунь, чеканка, гравировка, серебрение.
Высота 680 мм. Польша (?)
Конец XVIII — начало XIX вв.
Львовский музей истории религии

Detail of a silver-plated brass Torah Ark
candlestick with chasing and engraving, H. 680 mm,
Poland (?), late 18th-early 19th cent.,
Lvov Museum of Ethnography and Crafts.

שויתי
יהוה
לנגדי
תמיד

Фигура льва.
Деталь подсвечника.

Lion figurine. Detail of a candlestick.

Настенный декоративный светильник.

Латунь, чеканка, литье. Начало XIX в.
Большая львовская синагога.
Фото 20-х гг.

Cast-brass ornamental wall candelabrum
with chasing, early 19th cent.,
Great Synagogue in Lvov,
a 1920s photograph.

Отражатель подсвечника.

Латунь, чеканка, канфарение.
Высота 440 мм. Львов. Начало XX в. ЛМЭ

Chased-brass reflector-candelabrum, H. 440 mm,
Lvov, early 20th cent.,
Lvov Museum of Ethnography and Crafts.

Настенный декоративный светильник.

Латунь, чеканка, литье.
Высота 380 мм. Львов. 1910 г. ЛМЭ

Cast-brass ornamental wall candelabrum, H. 380 mm,
Lvov, 1910,
Lvov Museum of Ethnography and Crafts.

Обрамление Аарон-Хакодеша.

Медь, чеканка, эмали. Высота 1850 мм.
Львов (?) XVIII в. ЛМЭ

Copper Torah Ark frame with chasing
and enamel, H.1850mm,
Lvov (?), 18th cent.,
Lvov Museum of Ethnography and Crafts.

Фрагмент обрамления Аарон-Хакодеша

Detail of an Torah Ark frame.

Декоративный отражатель, находившийся в Большой львовской синагоге.

Латунь, чеканка. Фото 20-х гг.

Chased-brass ornamental reflector-candelabrum from the Great Synagogue in Lvov, a 1920s photograph.

Фрагмент светильника, в декоре которого использован мотив ханукальной меноры с предстоящими львами.

Латунь, чеканка.
Высота 660 мм. Галиция. XIX в. ЛМЭ

Detail of the chased-brass candelabrum decorated with the representation of a Hanukah menorah with lions in front, H. 660 mm,
Galicia, 19th cent.,
Lvov Museum of Ethnography and Crafts.

Фрагмент Аарон-Хакодеша.

Бронза, литье, полихромия.
Высота 540 мм. Галиция. XIX в.
Львовский музей истории религии

Detail of the cast-bronze multicoloured
Torah Ark, H. 540 mm,
Galicia, 19th cent.,
Lvov Museum of the History of Religion.

כתר תורה
אנכי
לא יהיה
לא תשא
זכור את
כבד את
לא תרצח
לא תנאף
לא תגנב
לא תענה
לא תחמד

Элемент убранства синагоги
в Каменке-Струмиловой.

Бронза, литье. Галиция. XVIII в. Фото 20-х гг.

Detail of cast-bronze interior decoration of the synagogue at Kamenka-Strumilova, Galicia, 18th cent., a 1920s photograph.

ועונין הקהל
ב כו את יי המבורך: ברוך יי המבורך לעולם ועד
ברוך אתה יי אלהינו מלך העולם אשר בחר בנו מכל
העמים ונתן לנו את תורתו: ברוך אתה יי נותן התורה:
אתה יי אלהינו מלך העולם אשר נתן לנו תורת
וחיי עולם נטע בתוכנו ברוך אתה יי נותן התור
ברוך אתה יי אלהינו מלך העולם הגומל לחייבים טובות
שגמלני כל טוב:
גמלך כל טוב הוא יגמלך כל טוב סלה:

Декоративное панно.
Жертвоприношение Авраама.

Бронза, литье. Галиция.
Синагога в Бродах. Фото 20-х гг.

Cast-bronze decorative panel representing Abraham's Sacrifice, Synagogue at Brody, a 1920s photograph.

Ханукальная менора
из Большой синагоги в Жолкве.

Бронза, литье. Галиция. XVIII в.
Фото 20-х гг.

Cast-bronze Hanukah menorah from the Great Synagogue at Zholkva,
Galicia, 18th cent., a 1920s photograph.

Синагогальная ханукальная менора.
Бронза, литье. Высота 1020 мм.
Галиция. 1773 г. (Одна из ветвей утрачена.)
ЛМЭ

Synagogue cast-bronze Hanukah menorah
(one branch missing), H. 1020 mm,
Galicia, 1773,
Lvov Museum of Ethnography and Crafts.

Фрагмент хануккальной меноры

Detail of a Hanukah menorah.

Менора.

Бронза, литье. Высота 364 мм.
Польша. XIX в. Каунасский художественный музей
им. М. К. Чюрлёниса

Cast-bronze menorah, H. 364 mm,
Poland, 19th cent.,
Ciurlionis Museum of Arts in Kaunas.

Менора.

Бронза, литье. Высота 170 мм.
Польша XIX в. ИЭМЛ***

Cast-bronze menorah, H. 170 mm,
Poland, 19th cent.,
Lithuanian Museum of History
and Ethnography in Vilnius.

Хануккальная менора.

Бронза, литье.
Польша XIX.

Cast-bronze Hanukah menorah,
Poland, 19th cent.

Хануккальная менора.

Бронза, литье.
Польша. ИЭМЛ

Cast-bronze Hanukah menorah,
Poland, 19 cent.,
Lithuanian Museum of History
and Ethnography in Vilnius.

Хануккия.

Бронза, литье. Высота 118 мм.
Западная Украина. Конец XVIII в. ИЭМЛ

Cast-bronze Hanukah lamp, H. 118 mm,
Western Ukraine, late 18th cent.,
Lithuanian Museum of History
and Ethnography in Vilnius.

Хануккия.

Бронза, литье. Высота 165 мм.
Галиция. XVIII в. ЛМЭ

Cast-bronze Hanukah lamp, H. 165 mm,
Galicia, 18th cent.,
Lvov Museum of Ethnography and Crafts.

Хануккия.

Бронза, литье. Высота 170 мм.
Галиция. XVIII в. ЛМЭ

Cast-bronze Hanukah lamp, H. 170 mm,
Galicia, 18th cent.,
Lvov Museum of Ethnography and Crafts.

Хануккия.

Бронза, литье. Галиция. XVIII в.
ЛМЭ

Cast-bronze Hanukah lamp,
Galicia, 18th cent.,
Lvov Museum of Ethnography and Crafts.

Хануккия.

Бронза, литье. Высота 170 мм.
Галиция. Конец XVIII — начало XIX вв.
ЛМЭ

Cast-bronze Hanukah lamp, H. 170 mm,
Galicia, late 18th-early 19th cent.,
Lvov Museum of Ethnography and Crafts.

Хануккия.

Бронза, литье. Высота 185 мм.
Галиция (?) Конец XVIII — начало XIX вв.
Вильнюсский еврейский музей

Cast-bronze Hanukah lamp, H. 185 mm,
Galicia, late 18th-early 19th cent.,
Vilnius Jewish Museum.

Хануккия.

Бронза, литье. Высота 155 мм.
Галиция. Конец XVIII — начало XIX вв.
ЛМЭ

Cast-bronze Hanukah lamp, H. 155 mm,
Galicia, late 18th-early 19th cent.,
Lvov Museum of Ethnography and Crafts.

להדליק נר חנוכה

Хануккия.

Бронза, литье. Высота 180 мм.
Галиция. Конец XVIII — начало XIX вв.
ЛМЭ

Cast-bronze Hanukah lamp, H. 180 mm,
Galicia, late 18th-early 19th cent.,
Lvov Museum of Ethnography and Crafts.

Хануккия.

Бронза, литье. Высота 185 мм.
Галиция. Конец XVIII — начало XIX вв.
ЛМЭ

Cast-bronze Hanukah lamp, H. 185 mm,
Galicia, late 18th-early 19th cent.,
Lvov Museum of Ethnography and Crafts.

Хануккия.

Бронза, литье. Высота 220 мм.
Галиция. Конец XVIII — начало XIX вв.
ЛМЭ

Cast-bronze Hanukah lamp, H. 220 mm,
Galicia, late 18th-early 19th cent.,
Lvov Museum of Ethnography and Crafts.

Хануккия.

Бронза, литье. Высота 225 мм.
Галиция. Конец XVIII — начало XIX вв.
ЛМЭ

Cast-bronze Hanukah lamp, H. 225 mm,
Galicia, late 18th-early 19th cent.,
Lvov Museum of Ethnography and Crafts.

Хануккия.

Бронза, литье. Высота 190 мм.
Галиция. Конец XVIII — начало XIX вв.
ЛМЭ

Cast-bronze Hanukah lamp, H. 190 mm,
Galicia, late 18th-early 19th cent.,
Lvov Museum of Ethnography and Crafts.

Хануккия.

Бронза, литье. Высота 180 мм.
Галиция. Конец XVIII — начало XIX вв.
ЛМЭ

Cast-bronze Hanukah lamp, H. 180 mm,
Galicia, late 18th-early 19th cent.,
Lvov Museum of Ethnography and Crafts.

Хануккия.

Бронза, литье. Высота 250 мм.
Галиция. Конец XVIII — начало XIX вв.
ЛМЭ

Cast-bronze Hanukah lamp, H. 250 mm,
Galicia, late 18th-early 19th cent.,
Lvov Museum of Ethnography and Crafts.

Хануккия.

Бронза, литье. Высота 210 мм.
Галиция. Конец XVIII — начало XIX вв.
ЛМЭ

Cast-bronze Hanukah lamp, H. 210 mm,
Galicia, late 18th-early 19th cent.,
Lvov Museum of Ethnography and Crafts.

Хануккия.

Бронза, литье. Высота 115 мм.
Галиция. XVIII в. ЛМЭ

Cast-bronze Hanukah lamp, H. 115 mm,
Galicia, 18th cent.,
Lvov Museum of Ethnography and Crafts.
←

Хануккия.

Бронза, литье. Высота 240 мм.
Галиция. Конец XVIII — начало XIX вв.
ЛМЭ

Cast-bronze Hanukah lamp, H. 240 mm,
Galicia, late 18th-early 19th cent.,
Lvov Museum of Ethnography and Crafts.

Хануккия.

Бронза, литье. Высота 240 мм.
Галиция. Начало XIX в. ЛМЭ

Cast-bronze Hanukah lamp, H. 240 mm,
Galicia, early 19th cent.,
Lvov Museum of Ethnography and Crafts.

להדליק
נר של
חנוכה

Фрагмент хануккии

Detail of Hanukah lamp.

Хануккия.

Бронза, литье. Высота 180 мм.
Галиция. Конец XVIII — начало XIX вв.
Коломыйский музей истории Гуцульщины

Cast-bronze Hanukah lamp, H. 180 mm,
Galicia, late 18th-early 19th cent.,
Lvov Museum of Ethnography and Crafts.

Хануккия.

Бронза, литье. Высота 280 мм.
Галиция. Конец XVIII в. ЛМЭ

Cast-bronze Hanukah lamp, H. 280 mm,
Galicia, late 18th cent.,
Lvov Museum of Ethnography and Crafts.

Фрагмент хануккии

Detail of Hanukah lamp.

Хануккия.

Бронза, литье. Высота 175 мм.
Галиция. Конец XVIII — начало XIX вв.
ЛМЭ

Cast-bronze Hanukah lamp, H. 175 mm,
Galicia, late 18th-early 19th cent.,
Lvov Museum of Ethnography and Crafts.

להדליק נר חנוכה

Хануккия.

Бронза, литье. Высота 230 мм.
Польша. XIX в. ИЭМЛ

Cast-bronze Hanukah lamp, H. 230 mm,
Poland, 19th cent.,
Lithuanian Museum of History
and Ethnography in Vilnius.

להדליק
נר
חנוכה

Фрагмент хануккии

Detail of Hanukah lamp.

להדליק

Хануккия.

Бронза, литье. Высота 240 мм.
Галиция. XIX в. ЛМЭ

Cast-bronze Hanukah lamp, H. 240 mm,
Galicia, 19th cent.,
Lvov Museum of Ethnography and Crafts.

Хануккия.

Бронза, литье. Высота 276 мм.
Галиция. Конец XVIII — начало XIX вв.
Вильнюсский еврейский музей

Cast-bronze Hanukah lamp, H.276 mm,
Galicia, late 18th-early 19th cent.,
Vilnius Jewish Museum.

Фрагмент хануккии

Detail of a Hanukah lamp.

Хануккия.

Бронза, литье. Высота 245 мм.
Галиция. Конец XVIII — начало XIX вв.
ЛМЭ

Cast-bronze Hanukah lamp, H. 245 mm,
Galicia, late 18th-early 19th cent.,
Lvov Museum of Ethnography and Crafts.

Хануккия.

Бронза, литье. Высота 260 мм.
Галиция. Конец XVIII — начало XIX вв.
ЛМЭ

Cast-bronze Hanukah lamp, H. 260 mm,
Galicia, late 18th-early 19th cent.,
Lvov Museum of Ethnography and Crafts.

Фрагмент ханукки

Detail of a Hanukah lamp.

Хануккия.

Бронза, литье. Высота 100 мм.
Польша (?) XIX в. ИЭМЛ

Cast-bronze Hanukah lamp, H. 100 mm,
Poland (?), 19th cent.,
Lithuanian Museum of History
and Ethnography in Vilnius.

←

Хануккия.

Бронза, литье. Высота 240 мм.
Галиция. Конец XVIII — начало XIX вв.
ЛМЭ

Cast-bronze Hanukah lamp, H. 240 mm,
Galicia, late 18th-early 19th cent.,
Lvov Museum of Ethnography and Crafts.

Хануккия.

Бронза, литье. Высота 225 мм.
Польша. XIX в. ИЭМЛ

Cast-bronze Hanukah lamp, H. 225 mm,
Poland, 19th cent.,
Lithuanian Museum of History
and Ethnography in Vilnius.

Хануккия.

Бронза, литье. Высота 250 мм.
Галиция. Начало XIX в. ЛМЭ

Cast-bronze Hanukah lamp, H. 250 mm,
Galicia, early 19th cent.,
Lvov Museum of Ethnography and Crafts.

Хануккия.

Бронза, литье. Высота 270 мм.
Галиция. Начало XIX в. ЛМЭ

Cast-bronze Hanukah lamp, H. 270 mm,
Galicia, early 19th cent.,
Lvov Museum of Ethnography and Crafts.

Хануккия.

Бронза, литье. Высота 270 мм.
Галиция. Начало XIX в. ЛМЭ

Cast-bronze Hanukah lamp, H. 270 mm,
Galicia, early 19th cent.,
Lvov Museum of Ethnography and Crafts.

Хануккия.

Бронза, литье, гравировка. Высота 305 мм.
Галиция. XIX в. ЛМЭ

Cast-bronze Hanukah lamp with
engraving, H. 305 mm,
Galicia, 19th cent.,
Lvov Museum of Ethnography and Crafts.

Фрагмент хануккии

Detail of a Hanukah lamp.

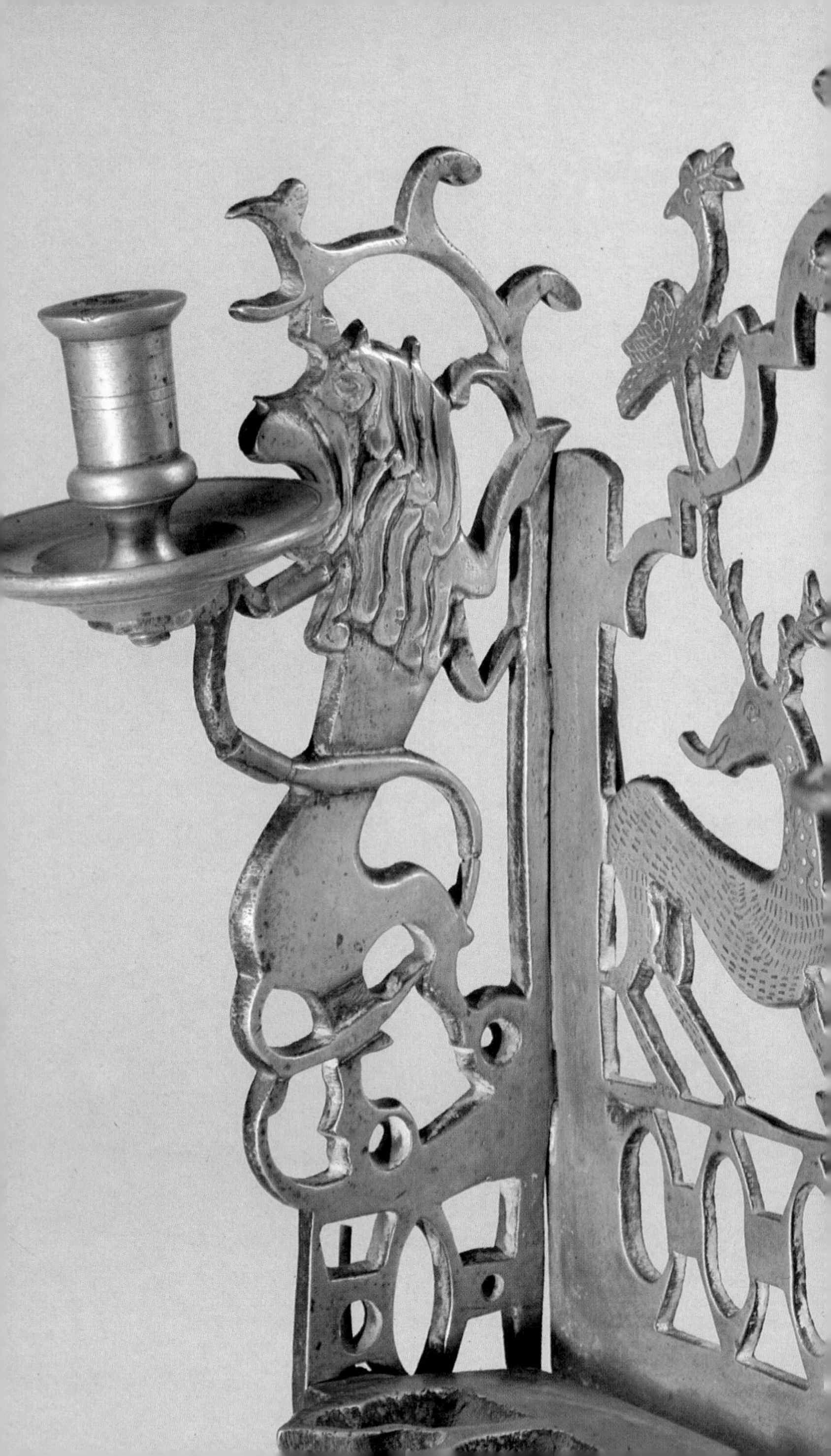

Хануккия.

Бронза, литье. Высота 230 мм.
Галиция. XIX в. ЛМЭ

Cast-bronze Hanukah lamp, H. 230 mm,
Galicia, 19th cent.,
Lvov Museum of Ethnography and Crafts.

Фрагмент хануккии

Detail of a Hanukah lamp.

Хануккия в виде фасада синагоги.

Бронза, литье, гравировка.
Высота 300 мм. Галиция.
Конец XVIII — начало XIX вв. ЛМЭ

Cast-bronze Hanukah lamp in the shape
of synagogue facade with engraving, H. 300 mm,
Galicia, late 18th-early 19th cent.,
Lvov Museum of Ethnography and Crafts.

Хануккия в виде фасада синагоги.

Бронза, литье. Высота 330 мм.
Галиция. Конец XVIII — начало XIX вв.
ЛМЭ

Cast-bronze Hanukah lamp in the shape
of synagogue facade, H. 330 mm,
Galicia, late 18th-early 19th cent.,
Lvov Museum of Ethnography and Crafts.

Фрагмент хануккии

Detail of a Hanukah lamp.

Хануккия.

Медь, просечка, чеканка.
Высота 330 мм. Галиция. XIX в. ЛМЭ

Chased-copper Hanukah lamp with
notching, H. 330 mm,
Galicia, 19th cent.,
Lvov Museum of Ethnography and Crafts.

Хануккия.

Латунь, штамповка, монтировка, серебрение.
Высота 300 мм. Варшава.
Вторая половина XIX в. Частная коллекция.

Silver-plated stamped-brass Hanukah lamp
with mounting, H. 300 mm,
Warsaw, late 19th cent.,
private collection.

Хануккия.

Бронза литье. Высота 170 мм.
Галиция (?) XIX в. ЛМЭ

Cast-bronze Hanukah lamp, H. 170 mm,
Galicia (?), 19th cent.,
Lvov Museum of Ethnography and Crafts.

Синагогальная люстра.

Бронза, литье, токарная работа.
Высота 540 мм. Западная Украина.
XVIII — начало XIX вв. ЛМЭ

Cast-bronze and machined synagogue
chandelier, H. 540 mm,
Western Ukraine, late 18th-early 19th cent.,
Lvov Museum of Ethnography and Crafts.

Синагогальная люстра.

Бронза, литье, токарная работа.
Высота 580 мм. Западная Украина.
XVIII — начало XIX вв. ЛМЭ

Cast-bronze and machined synagogue
chandelier, H. 580 mm,
Western Ukraine, late 18th-early 19th cent.,
Lvov Museum of Ethnography and Crafts.

Синагогальная люстра.

Бронза, литье, токарная работа.
Высота 520 мм. Западная Украина.
XVIII — начало XIX вв. ЛМЭ

Cast-bronze and machined synagogue
chandelier, H. 520 mm,
Western Ukraine, late 18th-early 19th cent.,
Lvov Museum of Ethnography and Crafts.

Синагогальная люстра.

Бронза, литье, токарная работа.
Высота 510 мм. Западная Украина.
XVIII — начало XIX вв. ЛМЭ

Cast-bronze and machined synagogue
chandelier, H. 510 mm,
Western Ukraine, late 18th-early 19th cent.,
Lvov Museum of Ethnography and Crafts.

Обрядовый канделябр.

Бронза, литье, гравировка, токарная работа.
Высота 470 мм. Польша XIX в. ВХМ

Cast-bronze and machined ritual candelabrum
with engraving, H. 470 mm,
Poland, 19th cent.,
Vilnius Museum of Arts.

Обрядовый субботний канделябр.

Бронза, литье, гравировка, токарная работа. Высота 510 мм. Польша. XIX в. ВХМ

Cast-bronze and machined ritual Sabbath candelabrum with engraving, H. 510 mm, Poland, 19th cent.,
Vilnius Museum of Arts.

Фрагмент канделябра

Detail of a candelabrum.
←

Обрядовый субботний канделябр.

Бронза, литье, токарная работа.
Высота 500 мм. Западная Украина.
Начало XIX в. ЛМЭ

Cast-bronze and machined ritual Sabbath
candelabrum, H. 500 mm,
Western Ukraine, early 19th cent.,
Lvov Museum of Ethnography and Crafts.

Обрядовый канделябр.

Бронза, литье.
Высота 600 мм. Западная Украина. XIX в.
ЛМЭ

Cast-bronze ritual candelabrum, H. 600 mm,
Western Ukraine, 19th cent.,
Lvov Museum of Ethnography and Crafts.

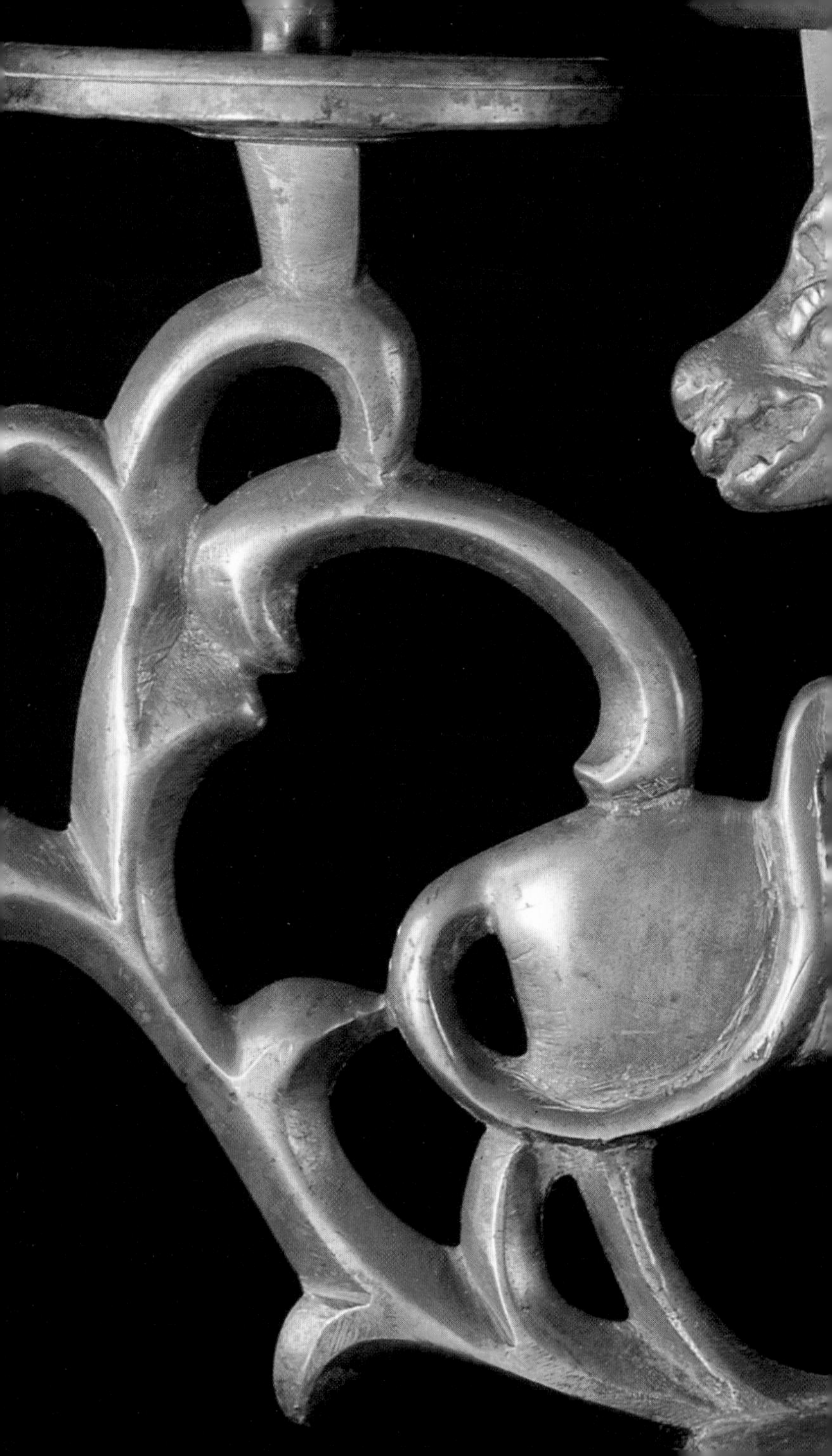

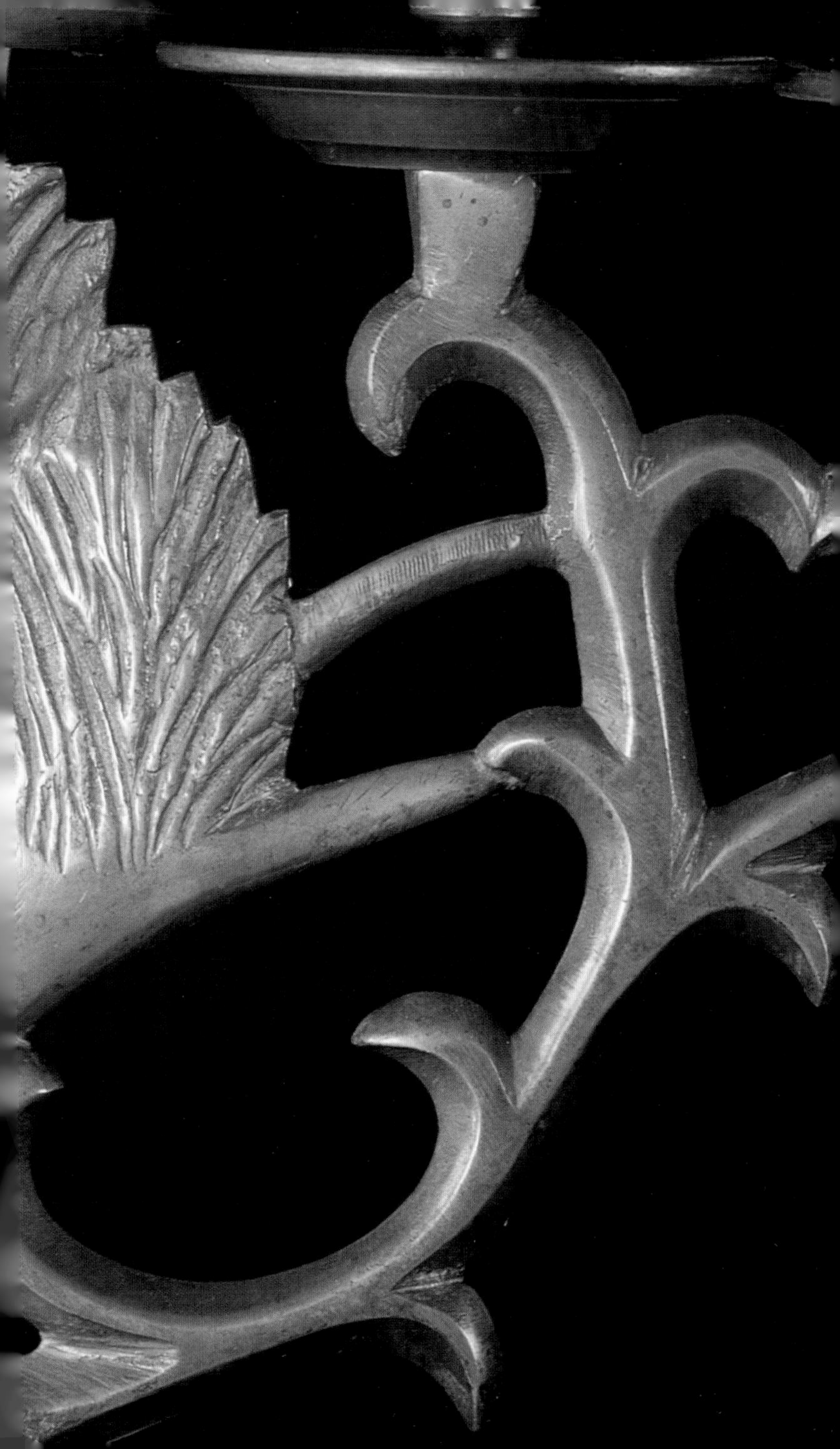

Фрагмент обрядового канделябра

Detail of a ritual candelabrum.
←

Обрядовый канделябр.

Бронза, литье, гравировка.
Высота 490 мм. Польша XIX в. BXM

Cast-bronze ritual candelabrum with
engraving, H. 490 mm,
Poland, 19th cent.,
Vilnius Museum of Arts.

Обрядовый канделябр.

Бронза, литье, гравировка. Высота 367 мм.
Галиция. Конец XVIII — начало XIX вв.
ЛМЭ

Cast-bronze ritual candelabrum with
engraving, H. 367 mm,
Galicia, late 18th-early 19th cent.,
Lvov Museum of Ethnography and Crafts.

Фрагмент обрядового канделябра

Detail of a ritual candelabrum.

Обрядовый канделябр.

Бронза, литье. Высота 500 мм.
Галиция. Конец XVIII — начало XIX вв.
ЛМЭ

Cast-bronze ritual candelabrum, H. 500 mm,
Galicia, late 18th-early 19th cent.,
Lvov Museum of Ethnography and Crafts.

Обрядовый канделябр.

Бронза, литье. Высота 410 мм.
Галиция. XVIII в. ЛМЭ

Cast-bronze ritual candelabrum, H. 410 mm,
Galicia, 18th cent.,
Lvov Museum of Ethnography and Crafts.

Канделябр.

Бронза, литье. Высота 182 мм.
Галиция. Конец XVIII — начало XIX вв.
ЛМЭ

Cast-bronze ritual candelabrum, H. 182 mm,
Galicia, late 18th-early 19th cent.,
Lvov Museum of the History of Religion.

Настенный подсвечник.

Бронза, литье, токарная работа.
Высота 175 мм. Галиция. Начало XIX в.
ЛМЭ

Cast-bronze and machined wall candelabrum, H. 175mm,
Galicia, early 19th cent.,
Lvov Museum of Ethnography and Crafts.

Фрагмент настенного подсвечника

Detail of a ritual candelabrum.

Настенный подсвечник.

Бронза, литье, токарная работа.
Высота 170 мм. Галиция. Начало XIX в.
ЛМЭ

Cast-bronze and machined wall
candelabrum, H. 170 mm,
Galicia, early 19th cent.,
Lvov Museum of Ethnography and Crafts.
←

Субботний подсвечник.

Бронза, литье. Высота 360 мм.
Галиция. XVIII в. ЛМЭ

Cast-bronze Sabbath candelabrum, H. 360 mm,
Galicia, 18th cent.,
Lvov Museum of Ethnography and Crafts.

Обрядовая кружка.

Медь, ковка.
Высота 180 мм. Западная Украина. XIX в.
ЛМЭ

Wrought-copper ceremonial cup, H. 180 mm,
Western Ukraine, 19th cent.,
Lvov Museum of Ethnography and Crafts.

←

Обрядовая кружка.

Медь, ковка, чеканка. Высота 135 мм.
Западная Украина. XIX в. ЛМЭ

Wrought-copper ceremonial cup
with chasing, H. 135 mm,
Western Ukraine, 19th cent.,
Lvov Museum of Ethnography and Crafts.

Обрядовая кружка.

Медь, ковка.
Западная Украина. XIX в. ЛМЭ

Wrought-copper ceremonial cup,
Western Ukraine, 19th cent.,
Lvov Museum of Ethnography and Crafts.

Обрядовая кружка.

Медь, ковка, гравировка. Высота 130 мм.
Западная Украина. XIX в.
Львовский музей истории религии

Wrought-copper ceremonial cup
with engraving, H. 130 mm,
Western Ukraine, 19th cent.,
Lvov Museum of Ethnography and Crafts.

Фрагмент кружки

Detail of a ceremonial cup.

Обрядовая кружка.

Медь, ковка, гравировка. Высота 175 мм.
Западная Украина. XIX в. ЛМЭ

Wrought-copper ceremonial cup
with engraving, H. 175 mm,
Western Ukraine, 19th cent.,
Lvov Museum of Ethnography and Crafts.

Фрагмент кружки

Detail of a cup.

Дно кружки

Back wall of a cup.

Обрядовая кружка.

Медь, ковка, гравировка. Высота 180 мм.
г. Станислав. Галиция. 1851 г. ЛМЭ

Wrought-copper ceremonial cup
with engraving, H. 180 mm,
Stanislav, Galicia, 1851,
Lvov Museum of Ethnography and Crafts.

Гравированный узор на кружке
из Станислава.

Engraving motif on the cup
from Stanislav.

הקטן אברהם

Фрагмент декора кружки
из Станислава.

Detail of the ornament on the cup
from Stanislav.

רט וזה מעשה ידי

Фрагмент декора кружки
из Станислава.

Detail of the ornament on the cup
from Stanislav.

Кружка.

Медь, ковка, чеканка.
Западная Украина. XIX в. ЛМЭ

Wrought-copper cup with chasing,
Western Ukraine, 19th cent.,
Lvov Museum of Ethnography and Crafts.

Кружка

Медь, ковка, чеканка, гравировка.
Высота 200 мм. Западная Украина. XIX в. ЛМЭ

Wrought-copper cup with chasing
and engraving, H. 200 mm,
Western Ukraine, 19th cent.,
Lvov Museum of Ethnography and Crafts.

Лохань для хранения
и выварки пасхальной посуды.

Медь, ковка, чеканка, гравировка. Высота 240 мм.
Западная Украина. XVIII — XIX вв. ЛМЭ

Wrought-copper tub with chasing and engraving,
used to store and boil Passover vessels, H. 240 mm,
Western Ukraine, late 18th-early 19th cent.,
Lvov Museum of Ethnography and Crafts.

←

Фрагмент лохани

Detail of the tub.

Лохань для хранения и выварки пасхальной посуды.

Медь, ковка, чеканка. Высота 330 мм. Западная Украина. XVIII — XIX вв. ЛМЭ

Wrought-copper tub with chasing, used to store and boil Passover vessels, H. 330 mm, Western Ukraine, late 18th- early 19th cent., Lvov Museum of Ethnography and Crafts.

Лохань для хранения
и выварки пасхальной посуды.

Медь, ковка, чеканка, гравировка. Высота 170 мм.
Западная Украина. XVIII — XIX вв. ЛМЭ

Wrought-copper tub with chasing and engraving, used to store and boil Passover vessels, H. 170 mm, Western Ukraine, late 18th-early 19th cent., Lvov Museum of Ethnography and Crafts.

Фрагмент лохани

Detail of the tub.

301A

Судок для рыбы.

Медь, ковка, чеканка.
Западная Украина. XIX в. ЛМЭ

Wrought-copper vessel for fish with chasing,
Western Ukraine, 19th cent.,
Lvov Museum of Ethnography and Crafts.

Крышка судка для рыбы

Lid of the vessel for fish.

Стакан.

Медь, чеканка, гравировка.
Высота 111 мм. Украина (?) 1750 г. ЛМЭ

Chased-copper cup with engraving, H. 111 mm,
Ukraine (?), 1750,
Lvov Museum of Ethnography and Crafts.

Пасхальная тарелка.

Медь, чеканка. Диаметр 360 мм.
Польша (?) Начало XX в. ВХМ

Wrought-copper Passover dish, D. 360 mm,
Poland, early 20th cent.,
Vilnius Museum of Arts.

Форма для приготовления
заливной рыбы (?)

Медь, чеканка. Высота 170 мм.
Западная Украина. XIX в. ЛМЭ

Chased-copper dish to make jellied fish, H. 170 mm,
Western Ukraine, 19th cent.,
Lvov Museum of Ethnography and Crafts.

Сумка плотогона.

Кожа, бронза, литье, чеканка, гравировка.
Жабье. Галиция. Начало XX в.
Частное собрание

Raftsman's leather bag decorated with
cast-bronze plaques with chasing and engraving,
Zhabie, Galicia, early 20th cent., private collection.

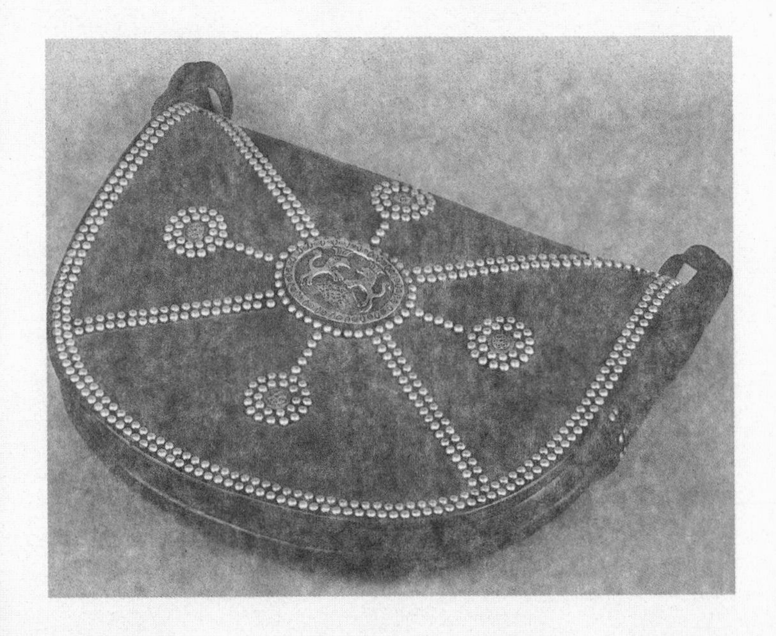

Фрагмент сумки.

Detail of the bag.

←

Пасхальная миска.

Медь, ковка, чеканка.
Высота 110 мм.
Западная Украина (?) 1887 г. ЛМЭ

Wrought-copper Passover bowl
with chasing, H. 110 mm,
Western Ukraine (?), 1887,
Lvov Museum of Ethnography and Crafts.

Пасхальная миска.

Вид сверху

Passover bowl. Top view.

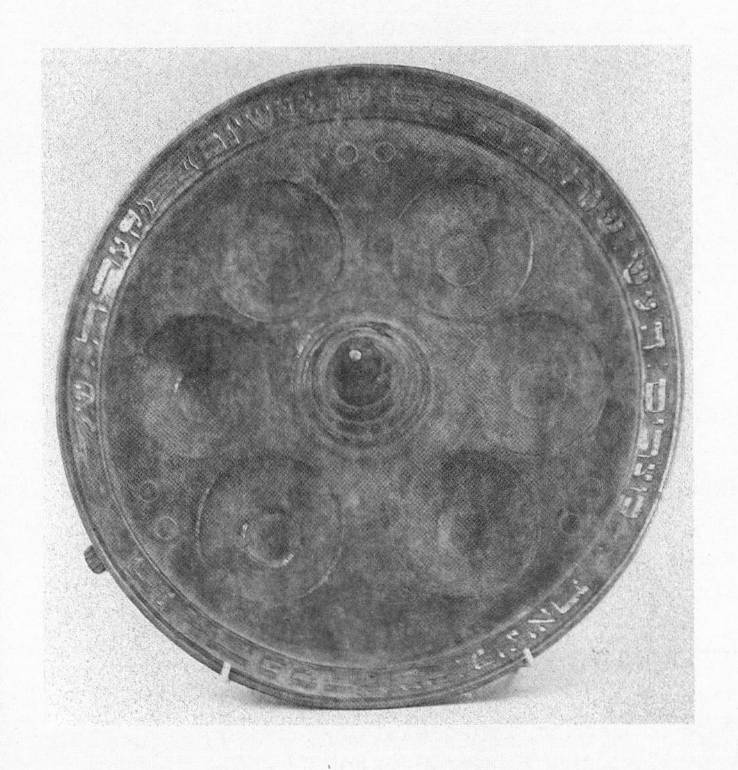

Бочонок для воды.

Медь, ковка, гравировка.
Высота 410 мм.
Западная Украина. XIX в. ЛМЭ

Wrought-copper water barrel
with engraving, H. 410 mm,
Western Ukraine, 19th cent.,
Lvov Museum of Ethnography and Crafts.

Фрагмент бочонка

Detail of the water barrel.

הכיור זה נדב

Кувшин.

Медь, ковка.
Западная Украина. XIX — начало XX вв. ЛМЭ

Wrought-copper ewer,
Western Ukraine, late 19th-early 20th cent.,
Lvov Museum of Ethnography and Crafts.

Кувшин.

Медь, ковка.
Западная Украина. XIX — начало XX вв.
ЛМЭ

Wrought-copper ewer,
Western Ukraine, late 19th-early 20th cent.,
Lvov Museum of Ethnography and Crafts.

Чайник.

Медь, ковка. Высота 170 мм.
Западная Украина. XIX — начало XX вв.
ЛМЭ

Wrought-copper kettle, H. 170 mm,
Western Ukraine, late 19th-early 20th cent.,
Lvov Museum of Ethnography and Crafts.

Кастрюля-таганок.

Медь, ковка. Высота 160 мм.
Западная Украина. XIX — начало XX вв.
ЛМЭ

Wrought-copper saucepan, H. 160 mm,
Western Ukraine, late 19th-early 20th cent.,
Lvov Museum of Ethnography and Crafts.

Кастрюля.

Медь, ковка. Высота 220 мм.
Западная Украина. XIX — начало XX вв.
ЛМЭ

Wrought-copper saucepan, H. 220 mm,
Western Ukraine, late 19th-early 20th cent.,
Lvov Museum of Ethnography and Crafts.

Щипцы для орехов.

Медь, литье, гравировка.
Западная Украина. XIX в. ЛМЭ

Cast-copper nut-crackers with engraving,
Western Ukraine, 19th cent.,
Lvov Museum of Ethnography and Crafts.

Надпортальная решётка.

Железо, ковка. Высота 520 мм.
Львов. 1816 г. ЛМЭ

Wrought-iron portal grating, H. 520 mm,
Lvov, 1816,
Lvov Museum of Ethnography and Crafts.

ПРИМЕЧАНИЯ

NOTES

1. Яцковский А., Ярнушкевич Я. Искусство польского народа. — Варшава, б.г. — С.15.

1. Jackowski, A. and Jarnuskewicz, Ja. The Art of the Polish People, Warsaw, n. d., p. 15. In Russian.

О большом и органичном вкладе евреев-ремесленников в народную культуру Украины, Белоруссии, Литвы, Молдовы и других стран, обладавших значительным еврейским населением, свидетельствуют и другие этнографы, искусствоведы, культурологи, исследующие межнациональные культурные контакты.

Other ethnographers, art historians and students of culture studying international cultural contacts also write about the big organic contribution made by Jewish craftsmen to the national cultures of the Ukraine, Byelorussia, Lithuania, Moldavia and other countries which had a sizeable Jewish population.

2. Жолтовский П. Памятники еврейского искусства // Декоративное искусство СССР. — 1966. — N 9.

2. Zholtovsky, P.N. Monuments of Jewish Art. In Dekorativnoye Iskusstvo SSSR, No 9, 1966. In Russian.

Жолтовский П. Н. Художественный металл. — Киев, 1972. (Укр. яз.)

Zholtovsky, P.N. Decorative Metalwork, Kiev, 1972. In Ukrainian.

Жолтовский П. Н. Художественное литье на Украине. — Киев, 1973. (Укр. яз.)

Zholtovsky, P.N. Decorative Casting in the Ukraine, Kiev, 1973. In Ukrainian.

3. Балабан М. Еврейские исторические памятники в Польше // Еврейская старина. — 1909. — N 1.

3. Balaban, M. Jewish Historical Monuments in Poland. In Jewish Antiquity, No 1, 1909. In Russian.

Бернштейн Р. Еврейская энциклопедия. Синагогальная архитектура. — Т. XIV.
Там же. Утварь ритуальная. — Т. XI

Bernstein, R. Jewish Encyclopaedia. Synagogue Architecture, vol. 14. In Russian.
Ibid., Ritual Utensils, vol. 11.

Бернштейн-Вишницер Р. Искусство у евреев в Польше и на Литве // История еврейского народа. — М., 1914. — Т. XI.

Bernstein-Vishnitser, R. Jewish Art in Poland and Lituania. The History of the Jewish People, Moscow, 1914, vol. 11. In Russian.

Bersohn M. Kilka słów o dawniejszych bóznicach drewnianych w Polsce. — Warszawa, 1903.

Bersohn, M. Kilka slów o dawniejszych boznicach drewnianych w Polsce. Warszawa, 1903.

Вишницер М. Евреи-ремесленники и цеховая организация их // История еврейского народа. — М., 1914. — Т. XI.

Kaufmann D. Zur Geschichte der Kunst in den Synagogen // Gesammelte Schriften. — 1908. — T. I.

Moklowski K. Bóznice drew-niane i meczety // Sztuka ludowa w Polsce. — Lwów, 1903. — T. 2.

Павлуцкий Г. Г. Старинные деревянные синагоги в Малороссии // История русского искусства под ред. И. Грабаря. — М., 1914. — Вып. 8.

4. Bersohn M. Kilka slвw o dawniejszych bвznicach drewnianych w Polsce. — Warszawa, 1903. — S. 338, 339.

5. Ханукка. — Иерусалим, 1982. — С. 2.

6. Жолтовский П. Н. Художественное литье на Украине. — Киев, 1973. — С. 75.

7. Вишницер М. Евреи-ремесленники и цеховая организация их // История еврейского народа. — М., 1914. — Т. XI. — С. 292.

8. Schiper I. Dzieje Handlu Zydowskiego na ziemiach Polskich. — Warszawa, 1973. — S. 412, 444.

9. Архив С. Ан-ского // Центральный государственный архив литературы и искусства СССР. Ф. 2583. — Оп. I. — Д. 5.

10. Goldstein M., Dresdner K. Kultura i Sztuka Ludu Zydowskiego na ziemiach Polskich. — Lwвw. — MCMXXXV.

11. A collector's guide to Judaica by Jay Weinstein. — New York, 1985. — P.132.

12. Жолтовский П. Н. Художественное литье на Украине. — Киев, 1973. — С. 97.

Vishnitser, M. Jewish Craftsmen and Their Trade-Corporation. The History of the Jewish People, Moscow, 1914, vol. 11. In Russian.

Kaufmann, D. Zur Geschichte der Kunst in den Synagogen. Gesammelte Schriften, 1908, T. I.

Moklowski, K. Boznice drewniane i meczety. Sztuka lukowa w Polsce, Lwow, 1903, T. 2.

Pavlutsky, G.G. Old Wooden Synagogues in the Ukraine. In Russian. The History of Russian Art. Edited by I. Grabar. Moscow, 11914, issue 8. In Russian.

4. Bersohn, M. Kilka slow o dawniejszych boznicach drewnianych w Polsce, Warszawa, 1903, S. 338, 339.

5. Hanukah, Jerusalem, 1982, p. 2. In Russian.

6. Zholtovsky, P.N. Decorative Casting in the Ukraine, Kiev, 1973, p. 7. In Ukrainian.

7. Vishnitser, M. Jewish Craftsmen and Their Trade-Corporation. The History of the Jewish People, Moscow, 1914, vol. 11, p. 292. In Russian.

8. Ignacy Schiper. Dzieje Handlu Zydowskiego na ziemiach Polskich, Warszawa, 1937, S. 412, 444.

9. An-sky's Archive. The Central State Archives of Literature and Arts of the USSR. Stock 2583, Inv. I, fasc. 5.

10. Goldstein, M. and Dresdner, K. Kultura i Sztuka Ludu Zydowskiego na ziemiach Polskich, Lwow, 1935.

11. A Collector's Guide to Judaica by Jay Weinstein. New York, 1985, p. 132.

12. Zholtovsky, P.N. Decorative Casting in the Ukraine, Kiev, 1973, p. 97. In Ukrainian.

13. Бернштейн-Вишницер Р. Искусство у евреев в Польше и на Литве // История еврейского народа. — М., 1914. — Т.XI. — С.398.

В дальнейшем исследования в области еврейского искусства в зарубежной науке существенно разрослись, и к настоящему времени имеется ряд капитальных монографий, множество книг и альбомов, содержащих, в частности, и материалы о еврейском искусстве с территории нашей страны. Это, однако, в большинстве своем репродукции памятников либо опубликованных до революции, либо оказавшихся в зарубежных собраниях. С изданием настоящей серии альбомов мы надеемся ввести в научный обиход значительное число первоклассных произведений, все еще остающихся неизвестными исследователям и любителям искусства.

*ЛМЭ — Львовский музей этнографии и художественного промысла АН Украины.

**ВХМ — Вильнюсский художественный музей.

***ИЭМЛ — Историко-этнографический музей Литвы. Вильнюс.

13. Bernstein-Vishnitser, R. Jewish Art in Poland and Lithuania.

The History of the Jewish People, Moscow, 1914, vol. 11, p. 3. In Russian.

Studies of Jewish art have grown considerably abroad, and there are now several fundamental monographs and a multitude of writings, art books and collections of articles containing, among other things, information on Jewish art on the territory of this country. For the most part these are, however, illustrations of artifacts published before the Russian revolution. It seems important in this connection to bring formerly unknown artifacts to the attention of scholars, which is precisely a major goal of the present series of publications.

ШЕДЕВРЫ ЕВРЕЙСКОГО ИСКУССТВА
БРОНЗА

Автор-составитель ***А. Канцедикас***

Фотографии *С. Тартаковского* и *В. Кравчука*
Художник *А. Лев*
Перевод с английского *Л. Лежневой*
Редактор русского текста *Л. Мазо*
Корректор английского текста *Л. Михайлова*

РЕКЛАМНО-ИЗДАТЕЛЬСКИЙ ДОМ В МОСКВЕ "ИМИДЖ"

Отпечатано в типографии издательства "Новости"